LE CHEMIN DU CHRIST

DU MÊME AUTEUR :

Le chemin de Dieu. Etude biblique sur la foi comme pèlerinage
(Les Presses de Taizé, 1983)

Frère John, de Taizé

LE CHEMIN DU CHRIST

Le pèlerinage de la foi dans le Nouveau Testament

Les Presses de Taizé

© Les Presses de Taizé, 71250 Taizé (France), 1987
ISBN 2-85040-060-2

Car «l'homme passe l'homme»
infiniment et de lui-même à
lui-même Dieu est le seul chemin.

MAURICE ZUNDEL

Les pages qui suivent conduisent à son terme une entreprise commencée dans le cadre du «pèlerinage de réconciliation» lancé par notre communauté voici plusieurs années.

En donnant des introductions bibliques sur «la foi comme pèlerinage», j'ai été amené à considérer cette notion comme un fil conducteur possible pour l'intelligence des Ecritures judéo-chrétiennes. Le thème s'est avéré extrêmement fécond. Il en est résulté un premier livre qui trace le chemin de Dieu à travers les Ecritures hébraïques, celles que les chrétiens appellent, d'une manière assez malheureuse, l'Ancien Testament. En achevant ce premier livre, il m'était apparu qu'un second s'imposait, puisqu'avec la venue de Jésus-Christ le pèlerinage de la foi ne s'arrête pas mais repart de plus belle. Ce nouveau livre cherche à discerner le chemin de Dieu révélé dans la vie, la mort et la résurrection de Jésus, et ensuite dans l'existence des premiers chrétiens.

Au fur et à mesure qu'avançait mon travail, sa visée s'est modifiée quelque peu. J'avais pensé écrire des études bibliques sur le thème du «pèlerinage» ou du «chemin», mais tant de belles perspectives se sont ouvertes les unes après les autres qu'elles ont débouché plutôt sur une introduction générale à la Bible vue sous un angle particulier, celui de la route. Ce qui s'est perdu en logique et en rigueur a été compensé, je crois, en largeur de vision et en capacité de synthèse.

Ce livre voudrait contribuer modestement à colmater la brèche fâcheuse entre l'exégèse dite scientifique d'une part et la théologie spirituelle de l'autre. Bien que nourrie par des études historico-critiques, la réflexion entreprise ici ne s'arrête pas à une lecture littérale, archéologique, mais s'efforce de discerner, sous la lettre des écrits, les pas du Ressuscité et la présence de son Esprit. «Même si nous avons connu le Christ selon la chair, maintenant ce n'est plus ainsi que nous le connaissons» (2 Co 5.16b). Ce livre présuppose la réflexion christologique des premiers conciles et des grands penseurs chrétiens de l'Antiquité sans s'y référer explicitement, puisqu'il s'agit d'une étude du Nouveau Testament.

Les notes en fin de chaque chapitre peuvent facilement être laissées de côté sans dommage. Par contre il est utile de lire les passages bibliques indiqués en référence dans le texte, afin de tirer tout le profit possible du livre. Les citations bibliques sont généralement données à partir de La Bible de Jérusalem, nouvelle édition (Cerf, 1973), sauf là où j'ai voulu apporter des modifications pour permettre au lecteur de mieux saisir les résonances de l'original grec.

Pour l'auteur de ces pages, il est évident que la compréhension intellectuelle des Ecritures est d'une importance capitale. Les croyants ne peuvent pas refuser de donner des raisons de l'espérance qui est en eux (cf. 1 P 3.15), et une foi adulte nécessite des connaissances qui s'accordent avec des hommes et des femmes vivant dans le monde de l'informatique et de la microbiologie. Mais en même temps, on ne dira jamais trop que la Bible n'est pas pour nous une collection d'idées sur Dieu ou un simple témoin de l'Antiquité, elle est une source où notre soif de Dieu se désaltère et où nous trouvons l'énergie de la confiance pour aller de l'avant. Sans une vie de prière, la théologie risque de demeurer stérile, voire de s'asphyxier dans des systèmes fermés. Pour le croyant, l'étude doit mener à la contemplation du mystère éblouissant du Dieu fait chair, du chemin de Dieu qui traverse de part en part notre histoire. Ainsi, la compréhension se mue en adoration, en louange: voilà l'unique façon d'approfondir notre relation avec le Dieu-pèlerin et de le suivre sur sa route.

New York, le 27 juin 1987
Fête de saint Cyrille d'Alexandrie

«Je suis la Voie»

(Jean 14.6)

I

Vers la Nouvelle Alliance

Dans un livre précédent[1], nous avons pris le thème du pèlerinage, de l'être-en-route, comme clef pour l'intelligence du message biblique. Cette clef s'est révélée d'une grande utilité pour saisir et l'essentiel de la foi et l'unité des Ecritures. Depuis Abraham (Gn 12.1-4), en effet, l'appel divin fait de l'être humain un voyageur, un pèlerin qui sort des sentiers battus pour cheminer à partir de la seule confiance en un Dieu insaisissable. L'image du pèlerinage indique bien le caractère ouvert de l'histoire du salut, son aspect créateur: tout n'est pas simplement programmé à l'avance. En consentant à l'appel à partir, le croyant ne renonce pas à sa liberté mais la reçoit en plénitude.

La foi est source de liberté parce qu'elle est aux antipodes d'une idéologie humaine, elle n'est pas un carcan qui abolirait toute imprévisibilité. Et pourtant, elle n'est pas non plus un pur caprice, un désir anarchique et aveugle: le pèlerin de la foi se distingue autant de l'errant qui va à la dérive que de l'homme installé confortablement dans ses routines.

Ce qui permet d'éviter l'un et l'autre de ces deux écueils, c'est l'image de Dieu telle qu'elle se dégage des Livres saints. Le Dieu de la Bible n'est pas une divinité lointaine et immobile, emmurée dans sa splendeur inaccessible. Il n'est pas non plus une énergie dépersonalisée et désordonnée. Il est au contraire le Dieu-pèlerin, vivant, créateur, entreprenant. Si Dieu est le premier Pèlerin, la démarche de la foi consiste essentiellement dans une imitation, une suite, un marcher sur les traces de Dieu; elle reçoit en même temps un dynamisme et une orientation.

Entreprise fondamentale, alors, que celle de chercher dans les Ecritures les traces du Dieu-pèlerin, de dépister son chemin afin de le suivre. Voilà l'attitude essentielle du croyant face à la Bible et la véritable raison d'être de cette collection de livres. Au-delà de toute appréciation historique ou littéraire, la Bible veut nous permettre de découvrir le chemin de Dieu pour que nous nous y engagions personnellement. Une conclusion importante découle de cette prémisse: pour le fidèle juif ou chrétien, la recherche historique ou la critique littéraire ne peuvent pas épuiser la signification du texte, on ne peut pas faire l'économie d'une interprétation *spirituelle*. Et cette interprétation ne saurait se.réduire à des règles ou à des critères humains, elle est avant tout fruit d'un discernement qui ne peut être reçu que comme un don.

Dans les Ecritures hébraïques, notre «Ancien Testament» qu'il vaudrait peut-être mieux appeler «le livre de l'Alliance», se trouve déjà la notion du chemin de Dieu. Le langage biblique, toujours concret, emploie les images de la route pour parler du comportement d'un être, de sa manière de vivre et d'agir (CD 68, 256ss). Pour prendre un exemple entre mille, nous lisons que le roi réformateur Josias «marcha dans les voies de son père David sans en dévier ni à droite ni à gauche» (2 Ch 34.2b). Or, les commandements divins sont appelés «les voies de Dieu» (par ex. Ps 119.3; 25.4-5) parce qu'ils décrivent le comportement de Dieu, comportement que l'homme doit imiter pour être saint, comme Dieu est saint (cf. Lv 19.2). La Loi de Dieu ou Torah n'est pas appelée la voie du Seigneur «seulement parce qu'elle est "commandée par lui", ou parce qu'elle conduit à lui, mais, beaucoup plus profondément, parce que c'est la voie qu'il suit lui-même, la sienne au sens propre..."La loi est le vrai chemin de l'homme parce qu'elle est le chemin de Dieu."»[2] Pour la tradition juive, les commandements ne sont pas des édits arbitraires d'un souverain confortablement installé sur son trône mais les empreintes mêmes des pas de Dieu, la transcription de sa propre vie. Le croyant médite la Torah d'abord pour connaître les traits de son Dieu, son dessein miséricordieux, et ensuite pour l'imiter, pour marcher dans ses voies.

Cependant, l'histoire de l'ancien Israël est bien plutôt celle de son incapacité à trouver et à suivre le chemin de Dieu; la Bible nous révèle avant tout la fidélité de Dieu à l'égard de son peuple infidèle, fidélité qui l'oblige à inventer des détours toujours plus inattendus pour tenir compte des faux pas de son vis-à-vis. Aussi le lien n'est-il jamais tout à fait rompu entre le Seigneur et son peuple, et il existe toujours des âmes dociles à l'appel divin pour permettre, un jour, un nouveau commencement. Car les voies du Seigneur n'ont pas été codifiées une fois pour toutes: Dieu reste vivant, et surtout après la crise douloureuse de l'exil en Babylonie, les fidèles sont en attente d'une nouvelle intervention du Dieu-pèlerin qui tracera son chemin de façon indélébile sur la face de notre terre.

L'Alliance transfigurée

Le livre de l'Alliance reste ainsi foncièrement ouverte. Les Ecritures hébraïques contiennent des récits du passé qui laissent entrevoir avec plus ou moins de précision le chemin de Dieu, et dessinent une attente tendue vers un accomplissement. La fidélité est primordiale, mais elle se conjugue avec une espérance puisée dans la confiance en un Dieu vivant, Source inépuisable de l'inédit.

De nos jours encore, la conscience spirituelle du peuple juif se meut entre ces deux pôles de la fidélité et de l'espérance, de l'interprétation de la Torah et de son actualisation pour les besoins du présent et de l'avenir. Le judaïsme n'est pas pour autant l'unique héritier de la foi d'Abraham, de Moïse et des prophètes. Voici deux mille ans, un homme a mené en Palestine au sein du peuple juif une vie de prédicateur itinérant, avant d'être torturé et mis à mort par la concertation des autorités politiques et religieuses. Cet homme s'appelle Jésus de Nazareth et, pour certains, son existence représente un événement historique hors pair, la transfiguration de l'Alliance millénaire entre Dieu et l'humanité, c'est-à-dire en même temps un accomplissement et un nouveau point de départ.

15

La vie, la mort et surtout la résurrection de Jésus l'établit, aux yeux de ses disciples, comme le Seigneur et le Messie attendu (Ac 2.36). Autour de lui se rassemble une communauté de foi, bientôt ouverte non pas aux seuls juifs mais aux croyants de toutes les nations. Très vite une littérature impressionnante se fit jour autour de l'événement, notamment des récits décrivant la vie et la mort de Jésus et des débuts de la communauté chrétienne, ainsi que des lettres écrites à des communautés naissantes dans telle ou telle ville du monde méditerranéen. Ainsi la Bible chrétienne finit par comporter un «Nouveau Testament» ajouté aux Ecritures hébraïques, désormais appelées «l'Ancien (ou Premier) Testament». On sait que le mot «testament» est une traduction en latin, en passant par le grec, du mot hébreu «*berith*, alliance»; l'expression se réfère donc moins aux recueils de livres qu'à la réalité qu'ils transmettent.

Face à cette curieuse composition de la Bible chrétienne, une question ne saurait être esquivée: quelle est la relation entre ces deux parties, les deux «testaments»? Car si l'«Ancien Testament» a été rendu caduc par la venue de Jésus-Christ, à quoi bon continuer de garder et de méditer ces livres? Si, inversément, l'Ancien Testament reste valable, pourquoi y ajouter un complément? Ces questions ne sont nullement théoriques; elles ont une grande portée existentielle, témoin les poussées soit antisémites soit judaïsantes qui ont traversées l'Eglise chrétienne au cours des siècles.

Une trop grande propension à considérer les livres bibliques en tant qu'*écrits* ne fait que compliquer la question. Dans ce cas-là nous voyons essentiellement deux séries de textes situées l'une en face de l'autre, portant largement sur les mêmes questions et donc capables d'être traitées par les mêmes méthodes d'interprétation. Nous aurions alors essentiellement deux réalités du même ordre face à face, deux «alliances» parallèles.

Si nous partons par contre du contenu, de la *signification* de l'Alliance entre Dieu et son peuple, les choses apparaissent autrement. Il devient clair alors que les deux «alliances» ne sont pas sur le même plan. N'étant pas deux réalités parallèles, au moins lorsqu'elles sont comprises en profondeur, elles ne font pas nombre et donc elles ne peuvent pas s'opposer de manière irréductible[3].

L'expression «alliance nouvelle» se rencontre pour la première fois au sein du peuple de l'Alliance, dans un célèbre oracle du prophète Jérémie (Jr 31.31-34). Face à l'infidélité du peuple, de son incapacité de marcher dans les voies de Dieu, le Seigneur annonce qu'il va lui-même prendre les choses en main. A cause de son amour, c'est-à-dire de sa fidélité et sa miséricorde, et non pas à cause des mérites de son partenaire, Dieu va trouver le moyen d'assurer la pleine fidélité de son vis-à-vis, il «mettra [s]a Loi au fond de leur être et…l'écrira sur leur cœur» (31.33). L'alliance nouvelle n'est donc point un nouveau pacte semblable à l'ancien, car alors rien d'essentiel n'aurait été modifié: quelle garantie aurait-on en effet que les humains puissent garder cette seconde alliance mieux que la première?

Quand le prophète parle d'une alliance nouvelle, il signifie par là que Dieu s'engage à maintenir coûte que coûte sa relation avec son peuple, en prenant en charge, pour ainsi dire, la fidélité autant du côté humain que du côté divin. La nouvelle alliance apparaît ainsi comme l'intériorisation parfaite de l'Alliance, comme l'assimilation de l'essentiel de la Torah par le partenaire humain. Elle implique l'apparition d'une nouvelle sorte d'être humain, un Serviteur capable de faire siens les desseins de Dieu dans une parfaite liberté. Cela signifierait évidemment aussi la transformation de l'homme tel qu'il est maintenant, et le prophète Ezéchiel n'a pas tort de renchérir sur les propos de Jérémie en expliquant que cette nouvelle alliance sera la présence de l'Esprit même de Dieu, désormais pleinement à demeure dans le cœur humain (Ex 36.27).

Cet «homme nouveau» (cf. Ep 2.15), les disciples de Jésus l'ont vu dans la personne de leur Maître, surtout à la lumière de sa résurrection d'entre les morts. Ils l'ont vu comme homme parfait parce que présence de Dieu au cœur de l'humanité, et par là même accomplissement de l'Alliance, ou mieux l'Alliance faite chair. En Jésus, Dieu parcourt les routes de l'humanité, de sorte que le chemin de Dieu soit pleinement tracé par une vie d'homme au cœur de notre histoire[4]. Si Jésus-Christ est le «Oui» absolu de Dieu à sa création et à son peuple, il est tout autant (et par conséquent) le «Oui» définitif de l'humanité à son Dieu (cf. 2 Co 1.17-22). Il est le Serviteur de Dieu par excellence (Mt 12.15-21), l'homme doué de l'Esprit Saint «sans mesure» (Jn 3.34).

Si en Jésus la «nouvelle alliance» ou l'Alliance pleinement accomplie prend corps, alors on pourrait croire que en lui l'histoire du salut touche à sa fin. Perspective compréhensible, partagée en quelque sorte par les premiers chrétiens qui avaient volontiers recours à des catégories de pensée eschatologiques pour interpréter l'Evénement du Christ: par sa venue «les derniers jours» sont inaugurés (He 1.2; Ac 2.17; 1 Pi 1.20). Néanmoins l'histoire continue, l'accomplissement de l'Alliance se présente non comme terme mais comme nouveau point du départ. Les «derniers temps» se révèlent non comme une période chronologique mais comme une présence de Vie cachée au cœur de l'ancien éon, comme un levain rénovateur agissant sous la croûte de notre monde vieillissant. C'est qu'il n'est pas suffisant qu'un individu seul vive la parfaite fidélité à son Dieu: celui qui reçoit l'Esprit en plénitude doit être aussi celui qui le donne à ses semblables (Jn 1.33; 3.34; 7.37-39), afin qu'il soit «l'aîné d'une multitude de frères» (Rm 8.29). Au fil des siècles le Christ ressuscité continue à appeler des hommes et femmes à le suivre, de sorte que l'Alliance puisse aboutir à une bénédiction octroyée à l'ensemble de l'humanité devenue une seule famille humaine (cf. Gn 12.3).

«Je suis le Chemin»

Après cette brève esquisse de la logique de l'Alliance entre Dieu et son peuple transmise par les Ecritures, reprenons d'un autre point de vue la question de la relation entre les deux parties de notre Bible. Un des premiers noms donnés aux chrétiens, d'après les Actes des Apôtres, est «ceux de la Voie» (Ac 9.2).Dans le livre des Actes, en effet, nous rencontrons plusieurs fois les expressions «la Voie du Seigneur» (18.25), «la Voie du salut» (16.17) et surtout «la Voie» employée de façon absolue (9.2; 18.26; 19.9,23; 22.4;

24.14,22) pour décrire l'existence chrétienne vécue en fidélité au Christ Jésus[5]. Dans la conscience des premiers chrétiens, plutôt que d'être une nouvelle religion ou une secte (cf. Ac 24.14), le christianisme est essentiellement une voie ou une manière de vivre; plus encore, il n'est pas seulement une voie parmi d'autres mais *la* Voie, le Chemin même de Dieu. Désormais, le chemin de Dieu est révélé non pas seulement par des commandements extérieurs à l'homme, par une Torah qu'il faut ensuite déchiffrer et intérioriser; il prend figure humaine et se déploie au cœur de notre monde. En envoyant son propre Fils, Dieu trace pour nous «une voie nouvelle et vivante» (Hb 10.20), sa Voie à lui, à l'intérieur même de notre histoire.

Dans l'évangile de Jean, Jésus résume cette vérité dans une formule lapidaire donnée aux disciples avides de connaître le Père et de comprendre le secret de leur Maître: «Je suis le Chemin» (Jn 14.6) et il poursuit: «Qui m'a vu a vu le Père» (14.9)[6]. Jésus révèle pleinement la volonté de Dieu en la vivant. Le suivre, c'est emprunter encore aujourd'hui cette Voie dans le concret de notre existence humaine. Par notre vie de pèlerins sur les traces du Christ, nous sommes appelés à rendre présent dans un lieu et un temps déterminé le Chemin de Dieu, suivant la constatation de saint Paul: «Ce n'est plus moi qui vis, mais le Christ qui vit en moi» (Ga 2.20).

Dans les Ecritures hébraïques, nous l'avons déjà dit, le chemin de Dieu est tracé peu à peu dans l'existence du peuple d'Israël. Ce chemin devait être l'objet d'un discernement, il n'était pas pleinement accessible à ceux-là mêmes qui étaient en train de le vivre, étant donné le caractère incomplet, ouvert de l'histoire du salut (CD 30-35, 151). Or, ce même chemin, c'est l'Evangile de Jésus-Christ, non en tant que texte supplémentaire ajouté à «l'Ancien Testament» mais en tant que personne du Christ ressuscité qui continue son passage de la mort à la Vie dans l'existence de la communauté chrétienne. L'Evangile n'est donc pas en premier lieu *postérieur* au livre de l'Alliance mais bien *intérieur*, il est son contenu le plus profond, sa grille de lecture, il en est la *récapitulation* (cf. Ep 1.10).

Les chrétiens des premiers siècles saisissaient cette vérité comme par intuition. Face à leur exégèse dite allégorique ou spirituelle qui flairait la présence du Christ partout dans les anciennes Ecritures, le lecteur moderne éprouve habituellement une certaine gêne. Mais au-delà des inévitables excès, l'intuition centrale de cette méthode reste valable et toujours actuelle: «*Spiritalis intelligentia in Veteri Testamento, nihil est aliud quam Novum Testamentum* (l'intelligence spirituelle, dans l'Ancien Testament, n'est rien autre que le Nouveau Testament).»[7] Ou comme saint Augustin le formule dans une phrase célèbre, plus condensée: «*in Vetere Novum latet et in Novo Vetus patet* (dans l'Ancien [Testament] le Nouveau se trouve caché et dans le Nouveau l'Ancien se manifeste).»[8] Dans le langage de ce livre nous pouvons le traduire ainsi: le chemin de Dieu discerné dans les Ecritures du peuple d'Israël, c'est la présence cachée du Christ-pèlerin (cf. 1 Co 10.4; Jn 8.56). Vouloir dès lors en rester à une lecture purement historique et extérieure des données bibliques, pourtant nécessaire, c'est en évacuer la signification la plus profonde, c'est réduire la Parole de Dieu à une lettre qui tue plutôt que de s'en approcher comme d'une Source de Vie (cf. 2 Co 3.6).

Entre «la Loi et les prophètes» d'un côté et la présence du Christ dans la vie de la communauté chrétienne de l'autre, se trouvent les textes du Nouveau Testament. Quelle est leur place dans le schéma que nous venons de tracer[9]? Il devrait être maintenant clair qu'en tant que documents, ils ne sont pas, strictement parlant, la nouvelle Alliance ou l'Evangile. Premièrement, ces textes nous transmettent l'Evénement qui marque l'accomplissement de l'Alliance, en d'autres termes l'apparition de l'Alliance nouvelle: la vie de Jésus, et surtout son «passage» de la mort à la vie d'éternité, avec comme conséquence le don de l'Esprit Saint et la constitution de l'Eglise. Ils nous permettent ainsi d'entrer en contact avec le Christ pascal et, par un acte de foi, de nous mettre en route sur ses traces. En second lieu, les livres du Nouveau Testament sont un premier commentaire spirituel des Ecritures à la lumière de la résurrection du Christ. Ils s'efforcent de montrer de quelle manière l'Evénement du Christ donne la clef pour la compréhension d'une histoire restée jusque-là énigmatique et incomplète, ils indiquent en quel sens il en est la récapitulation (cf. Lc 24.27,45).

En ce qui concerne les quatre évangiles, qui sont essentiellement des récits de la vie prépascale de Jésus, une appréciation encore plus nuancée s'impose. Les événements de la vie terrestre de Jésus font partie en même temps de l'ancienne et de la nouvelle économie de salut*: la semence est maintenant apparue dans le monde mais elle n'est pas encore tombée en terre pour mourir et porter du fruit (cf. Jn 12.24). Pour dégager leur pleine signification, ces événements doivent être lus à la lumière de ce qui les suit, la mort et la résurrection du Christ, tout comme les événements de l'histoire d'Israël. En même temps il est non moins vrai que la vie de Jésus forme une unité: dès le premier moment de son existence il réalise la volonté de Dieu en plénitude, il court sans arrêt sur sa Voie (cf. He 10.5-7).

Quatre approches de l'Evangile

Dans le prologue de son évangile, chaque évangéliste à sa façon médite sur le thème qui nous concerne ici, la relation entre l'histoire du peuple élu et «la Bonne Nouvelle de Jésus-Christ» (Mc 1.1). Ecoutons à tour de rôle leur témoignage multiple mais convergent.

Le prologue de MARC 1.1-13 se concentre sur la figure de Jean-Baptiste et sa relation avec Jésus. Jean, le prédicateur d'un retour à Dieu en vue d'accueillir son pardon, homme du désert vêtu comme Elie (1.6; 2 R 1.8), est la fine fleur de l'ancienne Alliance. Digne héritier des prophètes d'Israël, il appelle les habitants de la Judée et de Jérusalem dans le désert, lieu par excellence depuis l'Exode d'une préparation, d'un nouveau commencement. Et il proclame la venue d'un «plus fort» qui inaugurera le temps eschatologique par l'effusion du Saint-Esprit. Fait surprenant et inattendu, ce dernier sera en réalité le premier; Jean n'est digne que d'être son esclave. Ainsi, plutôt que de marcher sur les traces de Jean, le nouveau venu ouvrira le chemin.

---

*Le mot «économie» vient du grec *oikonomia*, l'art d'administrer une maison. Il se réfère au fait que le dessein de Dieu se réalise par étapes dans l'histoire de l'univers. Tel un bon administrateur ou pédagogue, Dieu prépare son peuple peu à peu à entrer dans la plénitude de sa communion.

Pour justifier la mission de Jean, Mc commence son évangile par un amalgame de citations bibliques sur le thème du «chemin» tirées du livre de l'Exode et des prophètes Malachie et le Second Isaïe. En soi, ces textes se réfèrent à la route du peuple dans le désert sous la conduite de Dieu lors de l'Exode (Ex 23.20), au retour de Dieu avec les rescapés après l'Exil (Is 40.3) et enfin à la venue eschatologique de Dieu pour purifier son Temple (Ml 3.1). Mais voilà que pour Mc, le «chemin du Seigneur» que Jean doit préparer, chemin qui est celui du peuple dans les anciennes Ecritures mais plus encore celui de Dieu, est en fait le chemin du Christ. La route de Jésus, préparée par Jean, l'Evangile de Jésus-Christ qui commence maintenant, a été ébauché de très longue date déjà, et Jean n'a pas tort de pressentir qu'en Jésus, le plus fort, il rencontre en fait celui qui le devance (cf. Jn 1.15,30).

Au centre du prologue de Mc se trouve la rencontre entre Jean et Jésus. Apparemment c'est pour un baptême, mais il ressemble bien plutôt à une transmission de pouvoirs, comme lors du sacre de Saül, premier roi d'Israël, par Samuel, le dernier des juges (1 S 10). Avec ce geste le rôle de Jean s'accomplit et il disparaît de la scène; Jésus, lui, retourne au désert sous l'impulsion de l'Esprit de Dieu pour affronter les forces du mal, et le prologue se termine par une image fugitive de la création réconciliée, un retour au paradis: l'Homme au centre entouré par les anges et les bêtes sauvages.

Mc indique d'une autre façon encore les rapports entre Jésus et la tradition dont il est issu. La présence du Baptiste et la disponibilité de Jésus à se faire baptiser marque sa profonde continuité avec les requêtes de la religion d'Israël, sa solidarité avec l'histoire de son peuple pécheur et toujours pardonné (cf. Mt 3.14-15). Mais voilà qu'en ce moment où il s'incline devant les exigences du passé la nouveauté éclate, Dieu lui-même prend les choses en main et Jean s'efface dans son ombre. Le baptême devient l'occasion d'une rencontre entre ciel et terre, d'un envoi nouveau de l'Esprit créateur, d'une révélation définitive des desseins d'amour de Dieu, incarnés dans la personne de «son Fils bien-aimé». La préparation a été essentielle et salutaire, mais au moment de l'accomplissement elle apparaît comme une ombre devant la réalité, ou mieux, tout ce qu'elle contenait de valable se trouve comme déjà intégré dans la révélation plénière, enveloppé de son éclat, telles les premières lueurs de l'aurore devant le soleil enfin apparu.

Les deux autres évangiles synoptiques* examinent eux aussi les rapports entre l'Alliance avec Israël et l'Evénement de Jésus-Christ en reprenant diverses traditions autour de la naissance de Jésus. MATTHIEU 1-2 s'ouvre par une généalogie, façon éminemment biblique d'indiquer un enracinement historique. De par ses origines humaines, Jésus est fils de David et fils d'Abraham (Mt 1.1), c'est-à-dire le Messie attendu et l'héritier de la Promesse. Cependant, en plus de cette succession régulière des générations il y a le côté imprévu, irrégulier, lié à l'intervention de l'Esprit Saint, signifié dans la généalogie par la présence des femmes. A la fin (1.16) ces deux aspects sont portés à leur comble: brusquement la chaîne se rompt, et Marie reste seule dans sa vulnérabilité extrême qui est en même temps ouverture, disponibilité à l'Esprit de Dieu.

Le paragraphe suivant (1.18-25) raconte la même chose en forme de récit. L'imprévu est représenté par Marie, «enceinte par le fait de l'Esprit Saint» (1.18). Mais l'incarnation reste incomplète tant que l'enfant ne reçoit pas un nom et un patrimoine. Cela va être le rôle de Joseph, le «juste» (1.19) qui doit veiller sur «l'enfant et sa mère» tout en demeurant dans leur ombre.

Mt s'intéresse beaucoup à la figure de Joseph, homme de l'Alliance devenu homme de l'Evangile par sa disponibilité confiante à un appel qui le dépasse. Juste comme Abraham prêt à donner à Dieu ce qu'il a de plus cher, son fils unique (Gn 22), juste comme le Baptiste prêt à décroître pour que le Christ puisse grandir (Jn 3.30), Joseph est également l'image du croyant heureux de donner sa vie plutôt que de la retenir jalousement (cf. Mc 8.34-37). En lui la Loi passe presque imperceptiblement à l'Evangile, Alliance et Alliance nouvelle coïncident.

---

*Les évangiles de Matthieu, de Marc et de Luc sont appelés collectivement les évangiles *synoptiques* à cause de leurs similarités de structure et de contenu. Ils peuvent être disposés en colonnes parallèles et être ainsi embrassés d'un coup d'œil.

La disponibilité de Joseph à l'inspiration divine jette souvent la sainte famille sur les routes. En sa personne l'enfant Jésus refait tout le pèlerinage millénaire de son peuple. Il descend en Egypte à l'instar des patriarches et en revient comme les Israélites sous l'égide de Moïse. C'est une manière très claire pour l'évangéliste, en utilisant les moyens à sa disposition, d'énoncer la thèse de ce chapitre: Jésus récapitule en sa personne l'histoire de son peuple, le chemin de Dieu ébauché dans les anciennes Ecritures est en fait le chemin du Christ.

Nous avons également dans le prologue de Mt le mouvement inverse, celui des autres qui viennent *vers* Jésus. Dans le récit de la visite des mages (2.1-12), Mt entrevoit l'accomplissement des oracles prophétiques concernant le pèlerinage des nations vers la Ville sainte à la fin des temps (par ex. Is 2.1-5; 60.1ss; cf. CD 167-171, 206). Cependant Jérusalem, où le roi Hérode règne par la violence, doit céder le pas au petit bourg de Bethléem, lieu de naissance du Roi-messie Jésus. La puissance néfaste d'Hérode engendre la souffrance (2.16-18) mais elle est impuissante à annuler le dessein de Dieu (cf. 27.62ss, les gardes au tombeau). Bethléem, ville où est né le roi David, symbolise en même temps continuité et rupture, un retour aux sources afin de repartir à nouveau. Le nouveau départ est en même temps accomplissement du passé et renversement des valeurs humaines.

LUC 1 résume le déroulement du salut par l'histoire parallèle de deux familles. Les parents de Jean sont justes et irréprochables mais stériles (Lc 1.6-7), dignes successeurs d'Abraham et de Sara. Zacharie, homme du Temple, reçoit l'annonce d'un accomplissement mais sa confiance en Dieu n'est pas totale; frappé de mutisme, il ne peut prononcer la bénédiction de Dieu à la fin de la liturgie (1.22). Cette bénédiction devra connaître un long détour: elle passera même par la mort avant d'arriver enfin à son terme (2.34; 24.50).

Pour permettre une nouvelle percée, la famille de Jésus doit prendre la relève. Lc s'intéresse surtout à la figure de Marie, la mère de Jésus. Pour lui elle récapitule comme le meilleur de l'histoire spirituelle d'Israël, et c'est peut-être pour cela qu'il la décrit à l'aide d'innombrables réminiscences scripturaires. Fille de Sion prête à accueillir son Sauveur dans la joie (1.28; So 3.14-18; Za 2.14; 9.9-10), Arche de l'Alliance cheminant à travers le haut pays (1.39-45; 2 S 6), Marie permet par la confiance de son oui une intervention nouvelle et définitive de Dieu. En elle, Dieu choisit au sein de son peuple ce qui est apparemment sans valeur aux yeux humains pour mieux faire apparaître, dans tout son éclat, son amour gratuit (1.46-55; cf.1 Co 1.18-29).

Par cette histoire de deux familles, Lc nous trace dans les rapports entre Dieu et son peuple une continuité qui doit passer par une rupture, par une sorte de mort et résurrection. Pour devenir pleinement elle-même, l'Alliance doit passer par des voies jusqu'alors inconnues. Lorsque Elisabeth reconnaît en Marie la mère de son Seigneur qui vient à elle (1.43), elle entérine ce retournement de valeurs et fait éclater une louange intarissable qui monte à Dieu du cœur de sa création.

Le deuxième chapitre de Lc consiste en un va-et-vient continuel entre la lointaine Galilée et la Judée, cœur de la nation sainte. Marie et Joseph font le voyage à Bethléem, apparemment en obéissance à l'édit de l'empereur, mais à un niveau plus profond pour permettre au Messie de naître dans «la ville de David». Plus tard, les parents de Jésus amènent le nouveau-né dans le Temple pour accomplir «tout ce qui était conforme à la Loi du Seigneur» (2.39) et, à l'âge de douze ans, nous voyons l'enfant Jésus chez lui dans le Temple en train de discuter avec les docteurs de la Loi. La continuité avec la foi de son peuple est ainsi bien soulignée, de même que l'élément d'accomplissement: les anciennes prophéties concernant l'entrée du Seigneur dans son sanctuaire (Ml 3) sont maintenant en passe de se réaliser.

Les premiers témoins de cet accomplissement sont les «pauvres de Dieu», le reste fidèle du peuple: les bergers (2.8ss), Marie elle-même qui «conservait avec soin toutes ces choses, les méditant en son cœur» (2.19,51), et notamment Syméon et Anne. Ces deux vieillards sont présentés comme la fine fleur de l'Alliance et, dans le «maintenant» de Syméon le juste (2.29-32), nous voyons l'ancienne économie du salut en train de passer et de faire place à un salut offert à tous les peuples; l'attente (2.25) se mue en claire vision (2.30). Et pourtant l'ombre de la croix n'est pas absente de ces chapitres (2.7,34-35,48), comme pour nous prévenir que l'accomplissement n'arrivera pas sans un passage par l'épreuve, sans «une chute et un relèvement». Pour Lc, la venue du Christ Jésus par rapport à l'Alliance est essentiellement un *accomplissement*, c'est-à-dire qu'elle révèle la pleine signification des événements du passé et répond à des attentes, quoique d'une manière imprévisible qui n'exclut point l'incompréhension, la souffrance, en un mot l'épreuve.

JEAN, de sa façon inimitable, reprend les choses de plus haut. Dans le prologue de son évangile (Jn 1.1-18) il ne situe pas Jésus par rapport à Israël seulement; il brosse une fresque décrivant l'ensemble de la création dans ses rapports avec Dieu. Ces rapports sont essentiellement l'affaire de celui que Jn nomme le *Logos*, le Verbe ou la Parole de Dieu, et qu'il considère comme un sujet en face de Dieu tout en étant un avec lui. Dans le mouvement du prologue, la relation entre le Verbe et le monde devient toujours plus claire, comme un objectif photographique que peu à peu on met au point. Instrument de la création et source d'illumination de tout homme (1.1-9a), la Parole de Dieu vient dans le monde et vient aux siens (1.9b-11) sans pour autant être reconnue ou accueillie convenablement. Enfin l'évangéliste nous dit que le Verbe présent depuis l'origine prend figure humaine et devient l'un de nous: «Le Verbe s'est fait chair et il a habité parmi nous» (1.14a).

La vision synthétique de Jn englobe la perspective des autres évangiles tout en la débordant largement. Dans le dessein de Dieu l'Alliance avec Israël («chez lui,» «les siens,» 1.11) est le point culminant d'une série de tentatives par lesquelles Dieu cherche à conduire et à illuminer sa création. Si même tous ces efforts se soldent par un «échec», Dieu n'abandonne pas pour autant le monde. Il va toujours plus loin dans sa recherche de se faire comprendre et finit par entrer visiblement, comme un être humain parmi d'autres, dans sa création et au sein de son peuple. La naissance de Jésus apparaît alors comme la concrétisation parfaite, sur le plan de l'histoire, du souci permanent de Dieu depuis l'origine, à savoir, de faire entrer les humains dans une communion avec lui; en langage johannique, qu'ils deviennent des enfants de Dieu (1.12). Et Jn, lui aussi, situe la mission du Baptiste par rapport à la venue du Christ: le précurseur vient pour rendre témoignage à la lumière (1.7); il sait qu'en fait Jésus le précède (1.15). Ici aussi, les derniers sont en fait les premiers.

Jn indique la relation entre Jésus et l'Alliance du Sinaï d'une autre manière encore:

Car la Loi fut donnée par Moïse;
la grâce et la vérité sont venues par Jésus Christ. (1.17)

Il est essentiel de saisir qu'ici, le don de la Torah n'est dévalué par l'évangéliste en aucune manière. Aveuglés par une trop facile schématisation, héritée d'une lecture superficielle de saint Paul, nous sommes tentés de considérer la polarité Loi-Evangile comme l'équivalent de la polarité ténèbres-lumière. Or, cette interprétation serait manifestement fausse. La relation est plutôt celle indiquée dans le verset précédent, *charin anti charitos*, «grâce pour grâce» (1.16), c'est-à-dire un don gratuit remplacé par une autre réalité du même ordre[10].

Quelle est, au juste, cette progression? Quelle relation y a-t-il entre la Loi d'un côté et «la grâce et la vérité» de l'autre? Dans le judaïsme, la Loi est souvent mise en parallèle avec la vérité, parce qu'elle révèle la volonté de Dieu, sa Voie. En même temps la notion de vérité est plus large que celle de la Loi. On peut dire qu'elle désigne le contenu ou la signification pour le fidèle de la Loi; elle se réfère à ce dessein de Dieu révélé, à son «secret» raconté. Selon saint Jean, dans la vie de Jésus-Christ le contenu essentiel de la Torah, sa signification véritable, nous est désormais accessible. Le chemin de Dieu, caché sous la surface des anciennes Ecritures, devient une existence humaine. L'écorce se brise et la pulpe devient visible. *In Vetere Novum latet et in Novo Vetus patet*[11].

La relation entre le chemin de Dieu et l'Evénement de Jésus-Christ que nous avons examinée fournit la trame des chapitres qui vont suivre. Dans ces pages, nous essayerons d'abord de comprendre la route de Jésus au cours de sa vie terrestre transmise par les quatres évangiles, le cheminement d'un homme parmi les hommes qui est également le chemin de Dieu. C'est une entreprise assez semblable à celle que nous avons menée en méditant l'histoire d'Israël dans un premier livre. A la différence, toutefois, qu'ici nous serons particulièrement attentifs à la vie de Jésus comme *récapitulation* des anciennes Ecritures: d'un côté la véritable signification de cette vie se révèle seulement à partir de l'histoire qui la prépare, et de l'autre côté seule cette vie permet une pleine intelligence d'une histoire restée jusqu'alors en partie voilée, énigmatique. En lisant les évangiles, nous nous efforcerons de regarder Jésus sur la toile de fond de la tradition millénaire de son peuple.

Ensuite, suivant l'agencement même des documents du Nouveau Testament, nous découvrirons la route du Christ devenue la route des chrétiens, le chemin du Ressuscité présent dans la vie de la communauté des croyants. Tout en prenant le pèlerinage de Jésus, notamment son chemin pascal, comme source et modèle permanent pour la vie chrétienne, les lettres apostoliques sont davantage tournées vers le présent, vers le parcours de cette voie dans les circonstances souvent difficiles du quotidien. De même, l'avenir reste toujours significatif, pour le disciple du Christ il implique la manifestation définitive et glorieuse de ce qu'il vit déjà de façon cachée parmi les épreuves et les aléas du présent. Ainsi l'Alliance nouvelle outrepasse les écrits de la première génération chrétienne; le chemin de Dieu déborde le Livre pour devenir le pèlerinage de chaque homme ou femme prêt à risquer sa vie à cause du Christ et de l'Evangile.

POUR LA RÉFLEXION

1. La foi biblique n'est ni atteinte à la liberté humaine ni encouragement à l'anarchie spirituelle mais invitation à se mettre en route sur les traces du Dieu-pélerin. Quelles conséquences cette affirmation a-t-elle pour ma propre existence?

2. En quoi la vie de Jésus concrétise-t-elle l'oracle du prophète Jérémie sur la nouvelle alliance (Jr 31.31-34)? Comment la vie chrétienne réalise-t-elle cet oracle?

3. Dans les Ecritures hébraïques, le Dieu-pèlerin révèle peu à peu son chemin au peuple d'Israël. Or Jésus nous dit: «Je suis le chemin» (Jn 14.6). Quelle doit être l'attitude d'un chrétien à l'égard des livres saints du peuple d'Israël, notre «Ancien Testament»? En tant que disciple du Christ, comment lire ces livres?

4. Les prologues des quatres évangiles (Mc 1.1-13; Mt 1-2; Lc 1-2; Jn 1.1-18) situent la personne et la vie de Jésus dans le contexte de l'histoire du salut. Qu'apprenons-nous de ces textes sur Jésus? Que nous disent-ils de la relation entre Jésus et l'activité exercée par Dieu au cours des siècles pour conduire les humains à la plénitude de la vie?

NOTES DU PREMIER CHAPITRE

1. *Le Chemin de Dieu. Etude biblique sur la foi comme pèlerinage*, Les Presses de Taizé, 1983, cité dorénavant par le sigle CD suivi par les numéros de page.

2. Stanislas LYONNET, «"La Voie" dans les Actes des Apôtres,» *Recherches de Science Religieuse* 69, 1981-1, p. 157.

3. Si nous comprenons l'alliance du Sinaï comme un pacte entre deux partenaires soudé par une liste de devoirs, on peut dire qu'après la venue du Christ cette alliance est caduque, en ce sens que les chrétiens ne se voient plus obligés de garder les multiples préceptes de la Loi juive en vue d'assurer leur communion avec Dieu. C'est la perspective de saint Paul dans certaines de ses lettres, confronté comme il l'est à des «judaïsants» qui n'ont pas perçu la nouveauté de l'Evangile (par ex Ga 2.16; Rm 7.1-6). D'autre part Paul s'efforce de lier l'Evangile à l'histoire spirituelle de son peuple en remontant jusqu'à Abraham et en s'appuyant sur les notions de *foi* et de *promesse* présentes dès le début de l'histoire du peuple élu (Ga 3.6ss; Rm 4). Les chrétiens sont des fils spirituels d'Abraham (Ga 4.21-31). Plus encore, pour Paul la Loi est sainte et juste et bonne (Rm 7.12), elle est de l'Esprit (Rm 7.14), elle mène au Christ (Ga 3.24; Rm 10.4). La puissance du mal a détourné la Loi de sa vraie finalité, d'indiquer la Vie, et en a fait un instrument de mort, d'orgueil spirituel (Rm 7.7-13). C'est donc la Loi devenue caricature d'elle-même qui s'oppose à l'Evangile, en d'autres termes l'Alliance réduite à ses aspects extérieurs et préférée à la foi dans le Christ. L'Alliance nouvelle est donc essentiellement l'Alliance renouvellée. En vivant de la charité ou l'amour chrétien, les disciples du Christ accomplissent tout ce que la Torah contenait de valable (Rm 13.8-10; Ga 5.14). En rigueur de termes, il serait plus exact de parler de deux économies de salut que de deux alliances.

4. Cf. JEAN-PAUL II, Lettre encyclique *Redemptor hominis* (4 mars 1979), n. 13: «Jésus-Christ est la route principale de l'Eglise. Lui-même est notre route vers "la maison du Père" (cf. Jn 14.1s), et il est aussi la route pour tout homme.» Et dans ce contexte le pape fait siennes les paroles du Concile Vatican II: «Par l'Incarnation le Fils de Dieu s'est uni d'une certaine manière à tout homme» (*Ibid.*).

5. Pour ce thème voir l'article très éclairant du regretté père LYONNET cité *supra*, n. 2.

6. Pour une compréhension de ces versets voir Ignace DE LA POTTERIE, *La Vérité dans saint Jean. Tome I: Le Christ et la vérité, l'Esprit et la vérité* (Analecta Biblica, 73), Rome: Biblical Institute Press, 1977, p. 241-278. Le Christ est le Chemin *parce qu'*il est la Vérité (son existence révèle pleinement les desseins du Père) et la Vie (il donne déjà aux croyants la Vie même de Dieu). Il peut être le Chemin parce qu'il est en même temps le Verbe de Vie tourné vers Dieu (Jn 1.1-2; 1 Jn 1.2) et solidaire de la création («la chair», Jn 1.14).

7. Formule d'un Père latin (Bérengaud) cité par Henri DE LUBAC, *L'Ecriture dans la Tradition*, Aubier, 1966, p. 159. Les études magistrales du cardinal de Lubac sur l'exégèse allégorique chez Origène et au Moyen Age n'ont pas seulement un intérêt historique. Elles ouvrent à une vérité du premier ordre en ce qui concerne la compréhension des Ecritures

que nous négligeons aujourd'hui à notre dépens.

8. *Quæstiones in Heptateucheum*, 2,73 (Patrologie latine 34,623), cité dans Vatican II, *Constitution «Dei Verbum» sur la Révélation divine*, n. 16.

9. Voir DE LUBAC, p. 247-274.

10. Voir DE LA POTTERIE, p. 142-150.

11. Cette interprétation de la progression en Jn 1.17 est en harmonie avec la lecture d'Ignace DE LA POTTERIE (*op. cit.*, p. 117-241) qui traduit «la grâce et la vérité» par «la grâce (c'est-à-dire le don gratuit) de la vérité». Elle l'est également avec l'interprétation qui voit ces mots comme une traduction de l'hébreu *chesed we'emeth* («l'amour et la fidélité»), les caractéristiques fondamentales du Dieu de l'Alliance. Cf. André FEUILLET, *Le Prologue du quatrième évangile. Etude de théologie johannique*, Desclée de Brouwer, 1968, p. 114-115. Dans les deux cas il y a une progression d'une réalité extérieure à sa signification profonde, d'une enveloppe à son contenu.

II

Synoptiques 1 :

Les sentiers du Royaume

Ce n'est surement pas un hasard que la structure même des évangiles soit dictée par la notion de pèlerinage, qu'ils tracent essentiellement un chemin. Pour Marc, suivi en cela par Matthieu et surtout par Luc, la vie publique de Jésus se déroule en deux temps: d'abord un ministère itinérant dans les bourgs et campagnes de la Galilée, ensuite une montée vers Jérusalem, lieu de sa mort et de sa résurrection. Selon toute vraisemblance cette structure est d'inspiration plus théologique qu'historique. Par l'évangile de Jean, en effet, nous savons que Jésus est monté plusieurs fois durant sa vie à la Ville sainte, ce qui paraît plus probable au plan des simples faits historiques. Les deux volets des évangiles synoptiques décrivent ainsi les contours théologiques du pèlerinage du Jésus. C'est cela ce que nous allons maintenant essayer de suivre, nous inspirant surtout et d'abord de Marc (Mc), puis approfondissant nos découvertes par les témoignages de Matthieu (Mt) et de Luc (Lc).

Celui-qui-vient

Tout d'abord il y a ce fait massif qui mérite d'être mis en évidence: les évangiles ne décrivent rien d'autre que les déplacements d'un homme qui ne reste jamais sur place. La vie de Jésus est une vie itinérante. Jésus mérite le titre de Pèlerin en premier lieu à cause de cette existence sur les routes. Il «n'a pas où reposer sa tête» (Lc 9.58), et il passe son temps à parcourir les villages de la Palestine (Mc 6.6). Mais ce simple fait se révèle aussitôt lourd de signification: Jésus n'est pas seulement le Pèlerin de l'extérieur, sa vie itinérante nous donne la clef de son être profond, elle est un langage dont Dieu se sert pour communiquer le mystère de son être et de son amour.

Dans le résumé par lequel Mc ouvre la première période du ministère de Jésus, nous commençons déjà à percevoir le sens véritable de son identité de pèlerin:

> Après que Jean eut été livré, Jésus vint en Galilée, proclamant l'Evangile de Dieu et disant: «Le temps est accompli et le Règne de Dieu s'est approché: convertissez-vous et croyez à l'Evangile.»

La fin de l'activité de Jean, le dernier et le plus grand des prophètes de l'Alliance (cf. Mt 11.7-15), clôt une période historique. On est alors à l'affût de quelque chose de neuf, d'un commencement nouveau qui est en même temps accomplissement du passé. Ce nouveau commmencement, Mc le décrit par un verbe apparemment tout banal mais en fait révélateur du cœur du message biblique: Jésus *vint*...

Ce verbe «venir» nous rapporte aussitôt aux vieilles théophanies de l'histoire sainte. Dans les couches anciennes de la Bible, on célèbre le Dieu d'Israël comme le Dieu qui vient, qui fait irruption dans le monde pour combattre en faveur des siens (Dt 33.2; Jg 5.4; Ps 18.10; 68.8,l8; cf. CD 47, 232). Cette façon de parler est reprise par les prophètes (Is 30.27; 40.10; Mi 1.3; Ha 3.3) et après l'Exil dans la littérature «proto-apocalyptique» (Is 59.19-20; 63.1; 66.15; 35.4; Za 14.5; Ps 50.3) pour proclamer la foi en un Dieu qui se mettra en route pour sauver ses élus et faire disparaître leurs ennemis. Dans la Bible c'est avant tout Dieu qui vient. Si quelques rares textes, souvent allusifs (Za 9.9; Dn 7.13; Ps 117.26; Gn 49.10?) appliquent l'expression à une figure distincte de Dieu, le personnage en question est toujours considéré pour ainsi dire du côté divin, en tant que l'envoyé de Dieu ou celui qui s'efface dans son ombre.

Avant même l'usage rédactionnel du verbe «venir» par les évangelistes, nous le rencontrons sur les lèvres de Jésus lui-même. Voilà un fait capital pour aborder l'auto-compréhension de celui qui ne se livre presque jamais à l'introspection. «Je ne suis pas venu appeler les justes, mais les pécheurs... Je ne suis pas venu apporter la paix, mais la glaive... Je suis venu jeter un feu sur la terre» (Mc 2.17; Mt 10.34; Lc 12.49). Et parfois, s'identifiant avec le Fils de l'homme, figure eschatologique qui vient dans les visions de Daniel: «Le Fils de l'homme n'est pas venu pour être servi, mais pour servir et donner sa vie en rançon pour une multitude... Le Fils de l'homme est venu chercher et sauver ce qui était perdu» (Mc 10.45; Lc 19.10). Au tréfonds de son être, Jésus est habité par la conscience qu'il agit à la place du Dieu-pèlerin, il est «celui-qui-vient».

Au fil des siècles, la venue espérée du Dieu-pèlerin (ou de son envoyé) tend à prendre pour le peuple de Dieu une signification *eschatologique*, c'est-à-dire elle marque l'accomplissement de l'âge présent et l'aube d'une ère nouvelle. Or, en décrivant les débuts de l'activité de Jésus comme une venue (1.7,9,14), Mc nous indique discrètement que ce tournant de l'histoire est en train de s'opérer maintenant. Les paroles suivantes y soulignent la raison de cette venue: Jésus vient en terre d'Israël «proclamant la Bonne Nouvelle de Dieu». Cette phrase évoque une autre annonce, faite voici cinq siècles par un prophète anonyme au moment où la captivité à Babylone touchait à sa fin:

> Qu'ils sont beaux, sur les montagnes, les pieds
> du messager qui annonce la paix,
> du messager de bonnes nouvelles qui annonce le salut,
> qui dit à Sion: «Ton Dieu règne.» (Is 52.7)[1]

Ce rapprochement permet de comprendre deux choses. D'abord, la «bonne nouvelle» dont il s'agit n'est pas celle d'un petit bonheur personnel mais l'annonce d'un événement hors pair: Dieu entre dans le monde comme présence salvifique pour effacer les conséquences du mal et pour offrir à son peuple une vie nouvelle[2]. Deuxièmement, le porteur de la bonne nouvelle («l'évangéliste») fait partie lui-même de l'accomplissement qu'il annonce, l'empreinte de ses pieds sur les collines de Juda est un premier signe de ce printemps nouveau qui éclot. Puisque Dieu opère cette transformation de l'histoire au moyen de sa parole, l'intelligence de l'événement est inséparable de l'événement lui-même. Il ne se laisse pas comprendre de l'extérieur. Le héraut est avant-coureur non pas comme le météorologue qui annonce le printemps mais comme les premiers bourgeons sur les arbres.

Les termes de la proclamation renforcent cette identité entre le message et le messager. En premier lieu, par le moyen de deux verbes au temps parfait, nous entendons une annonce de la nouvelle situation qui s'instaure: «Le temps est accompli et le Règne de Dieu s'est approché.» L'usage du parfait grec, temps qui indique l'état présent résultant d'une activité déjà accomplie, permet de souligner simultanément l'aspect présent et passé de la réalité nouvelle. Il y a en même temps accomplissement et actualité, le «déjà là» et le «pas encore», voire le «toujours en train de se faire». Le temps du salut (*kairos*) est maintenant arrivé, mais il ne sera jamais pour autant révolu, dépassé. Le mot *kairos*, d'ailleurs, ne signifie pas la durée, le temps qui s'écoule, mais le moment d'un accomplissement. De même le Règne de Dieu, attente séculaire des fidèles, s'est approché et se tient maintenant dans un état de proximité permanente, d'où les traductions «est tout proche», «est à la porte», et même, moins exactement, «est venu».

Avec les moyens très simples a sa disposition, Mc veut alors nous faire saisir d'emblée la dynamique paradoxale de l'Evangile, paradoxe né de l'irruption de l'Absolu de Dieu au cœur de l'histoire humaine. Comment expliquer humainement, en effet, un «temps» qui ne s'écoule pas mais qui reste toujours aux aguets, un «règne» qui vient en permanence, qui est là en tant qu'il vient et qui vient en tant qu'il est là? En tout cas, c'est cette réalité humainement inexplicable qui rend possible et nécessaire la suite de l'annonce. Deux impératifs indiquent l'accueil du côté humain de ce que Dieu donne gratuitement: convertissez-vous et croyez! Pour entrer dans la réalité nouvelle qui vient, pas d'autre voie qu'un acte de confiance et un retournement de perspectives toujours à refaire (c'est le sens de l'impératif présent en grec qui a la force d'un imparfait, qui exprime une continuité). Impossible de saisir la nouvelle de l'extérieur, la seule façon de la comprendre tant soit peu c'est de s'ouvrir à une transformation de tout l'être, en prenant toujours à nouveau le risque de croire.

Le commencement de la vie publique de Jésus chez Mc présente ainsi un parallèle remarquable avec les origines du peuple de Dieu au chapitre 12 de la Genèse (Gn 12.1-4; CD ch. 1). Nous sommes en présence de la même logique d'une annonce gratuite de salut qui motive une rupture, un changement de vie radical. Le parallèle devient encore plus saillant dans le récit suivant (Mc 1.16-20), l'appel des premiers disciples, invités à tout quitter pour se mettre en route avec Jésus. Structure identique, mais aussi changement d'accent par rapport à Abraham: ici l'actualité de l'accomplissement est soulignée plus que la promesse, et à la place du Dieu invisible il y a la figure de Jésus, homme parmi les hommes qui néanmoins «vient» tout comme le Règne qu'il proclame.

Paroles de vie et guérisons

Cette venue de Jésus est détaillée dans les chapitres qui suivent, les grandes lignes de son activité en Galilée sont dessinées et reçoivent un contenu. D'abord par une journée «typique» à Capharnaüm, au bord du lac. Jésus entre dans la ville et vient dans la synagogue pour enseigner (1.21). Son enseignement n'a pourtant rien de théorique ou d'habituel, il possède une force inouïe qui bouleverse les cœurs (1.22) et qui met en déroute l'esprit du mal (1.23-26). Tel le Dieu d'Israël vu par un Isaïe (par ex. Is 1.4; 6,3), Jésus est le Saint dont la seule présence dévoile et écarte les forces de mal. Son adversaire, d'ailleurs, ne se méprend pas sur la portée de l'événement: «Que nous veux-tu, Jésus le Nazarénien? Es-tu venu pour nous perdre? Je sais qui tu es: le Saint de Dieu.» (1.24).

Venant de la synagogue, Jésus vient ensuite dans la maison de Simon. Il vient vers la belle-mère de Simon, clouée au lit, et la «ressuscite». L'acte de guérir montre admirablement la mission de Jésus. Redoutable pour les esprits du mal, sa venue est donc porteuse d'une plénitude de vie pour les humains dans le besoin. Et qui ne l'est pas? A cet égard la dernière scène de la journée nous montre Jésus en train de guérir «toute la ville» (1.32-34); le salut qu'il apporte, même à ses humbles commencements, a une visée universelle.

Cet élargissement de perspectives se poursuit dans les versets suivants (1.35-39). Après cette journée chargée de rencontres, Jésus sort très tôt de la ville et s'en vient dans un lieu désert. C'est en vue de retrouver l'intimité avec Dieu, mais également d'agrandir l'échelle du ministère: «Allons ailleurs, dans les bourgs voisins, afin que j'y prêche aussi, car c'est pour cela que je suis sorti» (1.38). La bonne nouvelle de Dieu ne se laisse pas réduire aux besoins d'une seule ville...ou d'un seul pays.

Toute la première partie de l'évangile selon Mc (1.14 - 8.26) suit ce schéma d'un périple à travers le pays de Galilée, avec parfois de petites sorties dans les contrées voisines. Jésus vient dans les villes et villages, parfois dans des synagogues (3.1; 6.2) ou «à la maison» (2.1,15; 3.20). Il passe à travers les champs (2.23), allant avec prédilection au bord du lac de Galilée (2.13; 3.7; 4.1) et parfois le traversant en bateau (4.35ss; 5.21; 6.45ss; 8.10). Une fois même, avant de faire un choix important, il monte sur les hauteurs (3.13). Son activité consiste dans l'annonce de la bonne nouvelle, en paroles et en actes. Il l'explique souvent au moyen de comparaisons imagées, les paraboles (ch. 4), et la concrétise par des guérisons, dans une confrontation avec les esprits du mal.

Pour Jésus, l'action de guérir des corps malades n'est cependant que le signe d'une guérison bien plus profonde et plus radicale, qui a pour nom le pardon des péchés. Nous le voyons dans le récit de la rencontre avec un homme paralysé (2.1-12). Quatre porteurs sont nécessaires pour amener le malade immobilisé à Jésus et, au lieu des paroles de guérison escomptées, il se contente de lui dire: «Mon enfant, tes péchés sont pardonnés» (2.5). Consternation chez l'auditoire; alors, Jésus poursuit en rendant la santé du corps à l'infirme, signe d'une vie nouvelle qui transforme l'être jusqu'aux tréfonds et apporte une légèreté et un dynamisme insoupçonnés: Lève-toi et marche! Le pardon fait de l'homme un pèlerin sur les chemins de Dieu.

On venait à lui...

La venue de Jésus, lieu-tenant du Dieu-pèlerin, provoque tout un remue-ménage autour de lui, elle suscite un «venir» des autres presque automatique. La nouvelle se répand, son dynamisme se communique de proche en proche comme un courant électrique. Après la première guérison faite par Jésus chez Mc, l'évangéliste nous précise que «sa renommée se répandit aussitôt partout» (1.28) et il ne faut pas séparer cette «rumeur» du contenu du message lui-même, c'est plutôt son «écho» dans l'oreille et dans le vie des auditeurs transformés eux-mêmes en des pèlerins marchant sur les routes. Ainsi nous lisons immédiatement après que «la ville entière était rassemblée devant la porte» (1.33) et un peu plus tard «on venait à lui de toutes parts» (1.45b; cf. 3.20).

Cette propagation de la bonne nouvelle semble se passer à l'insu du porteur lui-même, voire contre son intention explicite. Ici intervient le célèbre «secret messianique» discerné voici longtemps dans l'évangile de Mc. Lorsque les esprits impurs reconnaissent Jésus, il les enjoint au silence (1.25,34; 3.12). Jésus ordonne également au lépreux guéri de ne rien dire, mais ses paroles font l'effet contraire (1.43-45; cf. 5.43). Rien ne peut arrêter la marche de la bonne nouvelle, elle est comme une graine qui pousse d'elle-même et devient un arbre magnifique (4.26-32).

A l'intérieur de cette expansion inexorable il y a des modalités différentes. Avec ceux qui viennent à lui en quête d'une guérison, Jésus accède habituellement à leur demande et puis les congédie: «va-t'en chez toi» (2.11; cf. 5.19), «va en paix» (5.34), «garde-toi de rien dire à personne, mais va te montrer au prêtre...» (1.43; cf. 8.26). De même pour les foules qui le suivent et le pressent de tous côtés (5.24): Jésus les guérit (3.10), les enseigne (4.2; 6.34) et les nourrit (6.30-44; 8.1-10). Il ne veut pas qu'ils partent sur leur faim, il a pitié d'eux (6.34; 8.2), mais il ne cherche pas pour autant à les retenir.

Certaines rencontres pourtant se passent d'une toute autre manière. Nous avons déjà évoqué l'appel des quatres premiers disciples (1.16-20). Le récit commence par un verbe qui nous met encore une fois en rapport avec le Dieu-pèlerin: «passant à côté de…». Ce verbe rappelle les théophanies devant Moïse (Ex 33.19,22; 34.6) et Elie (1 R 19.11); dans le livre du prophète Amos, il est utilisé pour décrire la venue du Seigneur qui sauve, qui pardonne (Am 7.8; 8.2; cf. Ex 12.23) en contraste avec le verbe «passer au milieu de» (Am 5.17; cf. Ex 12.12), employé pour son activité vis-à-vis de ses adversaires[3]. Passant à côté du lac, Jésus aperçoit des pêcheurs et leur dit: «Venez à ma suite!» Et aussitôt, rompant avec leur existence habituelle, ils le suivent. Ce court récit souligne l'initiative de Jésus, qui «appelle à lui ceux qu'il voulait» (3.13)[4], ainsi que le radicalisme de la réponse demandée.

Les hommes ainsi appelés sont impliqués à un niveau beaucoup plus profond que les autres dans l'aventure de Jésus. Ils doivent tout quitter pour s'embarquer dans une vie pérégrinante avec le Maître. En passant, Jésus les entraine dans son sillage. Ils prennent désormais place, pour emprunter l'image de saint Paul, dans son cortège triomphal (cf. 2 Cor 2.14).

Chez Mc, parmi les disciples une mention spéciale est accordée au groupe des *Douze*. Le chiffre renvoie aux douze tribus d'Israël et évoque en même temps continuité et nouveauté, récapitulation de la totalité à une échelle très réduite, donc microcosme, germe. Monté sur les hauteurs, Jésus «appelle à lui ceux qu'il voulait; ils viennent à lui» (3.13). La scène nous transporte au Sinaï au moment de l'alliance, bien que là ce fût seulement Moïse qui soit monté à l'appel de Dieu (Ex 19.3,20) tandis que le peuple demeurait en bas.

Le rôle des Douze comprend deux aspects différents. D'abord ils doivent «être avec lui» (3.14a), accompagner Jésus dans ses déplacements, l'observer et l'entendre. C'est un partage de vie qui va bien au-delà des rapports habituels entre un rabbin et ses disciples. Leur formation progressive va moins dans le sens d'un enseignement théorique que dans celui d'une transformation de leur être, elle est essentiellement une école de confiance. Et Mc souligne fortement l'incapacité des disciples pour la mission qui leur est confiée: il ne s'agit nullement d'une élite humaine. Ils ne comprennent pas les paraboles (4.13) ni les signes miraculeux (6.52) de Jésus; ils sont «sans intelligence» (7.18) avec «l'esprit bouché» (8.17). Plus grave encore, ils sont faibles dans la foi, souvent en eux la peur l'emporte sur la confiance (4.40). Néanmoins ils sont la vraie famille de Jésus (3.21,31-35; cf. Mt 12.49) parce qu'ils sont «autour de lui», liés à lui par une communion plus forte que les liens charnels ou politiques (cf. 6.4). A ces êtres faibles, nos semblables, Dieu a confié le mystère de son Royaume (4.11).

Enracinés dans cette communion avec Jésus, les Douze sont en même temps des *envoyés*, des apôtres au sens littéral. Et leur tâche n'est autre que celle de Jésus lui-même: proclamer la bonne nouvelle et montrer sa réalité en chassant les esprits du mal (3.14-15). Jésus les envoie deux par deux dans le pays de Galilée avec des consignes qui soulignent l'urgence de leur mission (6.7-11). Et alors «étant partis, ils prêchèrent qu'on se repentît; et ils chassaient beaucoup de démons et faisaient des onctions d'huile à de nombreux infirmes et les guérissaient» (6.12-13). De cette façon aussi l'annonce du Règne fait tache d'huile: la venue de Jésus suscite l'appel d'autres envoyés qui prolongent en quelque sorte sa présence.

Un message contesté

Si Mc met ainsi l'accent sur le dynamisme de la Réalité nouvelle venue dans le monde avec Jésus et décrit sa puissance d'expansion, il n'oublie pas pour autant qu'il s'agit avant tout d'un appel à la liberté humaine. Dieu ne force jamais les cœurs, et pour cette raison nous voyons s'ébaucher presque aussitôt un mouvement de refus contre le Pèlerin et son message. Est-il surprenant que cette opposition prenne racine avant tout chez ceux qui détiennent une autorité spirituelle dans le peuple et sont responsables de l'interprétation de ses traditions religieuses? Ils sont, après tout, les premiers concernés par ces questions. La Nouveauté de Dieu vient bouleverser leurs conceptions trop étroites et les place devant une alternative angoissante: vont-ils s'ouvrir à cette Nouveauté en se laissant convertir, ou au contraire fermer leurs cœurs et par conséquent chercher à éliminer le message et le messager?

Mc dessine cette opposition croissante dans une série de controverses au début de son évangile. Au chapitre 2 déjà, «quelques-uns des scribes assis là» considèrent l'annonce du pardon des péchés comme un blasphème, un empiétement sur les prérogatives de Dieu (2.6-7). Ils n'en soufflent mot, mais Jésus devine leurs pensées et répond par la guérison physique du malade, offerte comme un signe. Même réaction en voyant Jésus manger avec des collecteurs d'impôts et des pécheurs, bien qu'ici les «scribes des Pharisiens» expriment leur manque de compréhension, non pas à Jésus lui-même, il est vrai, mais à ses disciples (2.15-17). Les deux tableaux suivants (2.18-28) témoignent du même désarroi face aux comportements des disciples de Jésus: pourquoi ne jeûnent-ils pas, et de quelle manière observent-ils le sabbat? Toutes ces controverses fournissent l'occasion à Jésus de révéler davantage son identité par le truchement des images. Il est le Médecin venu pour guérir les malades, l'Epoux dont la seule présence est source de joie profonde (le festin de noces, image eschatologique par excellence, est alors discrètement évoqué, cf. Lc 14.15; Mt 22.2; 25.1ss), ou encore le Maître du sabbat, qui ose se comparer avec le roi David. Ces versets contiennent en plus une réflexion sur la nouveauté du message, comparè à du vin nouveau qui fait éclater des outres vieilles (2.21-22).

Cette série de controverses culmine dans le récit d'une guérison à la synagogue le jour du sabbat (3.1-6). Ici, la mauvaise volonté des adversaires est manifeste: «ils l'épiaient…afin de l'accuser.» Le vrai enjeu de l'affaire se dévoile enfin: il ne s'agit nullement d'une discussion serrée pour arriver ensemble à une meilleure compréhension, mais bien d'un choix entre la vie et la mort (cf. 3.4). Le cœur des adversaires de Jésus est endurci, ils sont aveuglés, et dès lors la guérison du malade est ressentie par eux comme un coup mortel ne leur laissant qu'une seule issue: «Etant sortis, les Pharisiens tenaient aussitôt conseil avec les Hérodiens contre lui, en vue de le perdre» (3.6). Etrange liaison que celle-là entre des groupes aux vues diamétralement opposées, unis seulement dans leur opposition à la Nouveauté bouleversante de Dieu.

Que les Pharisiens soient nommés parmi les ennemis les plus acharnés de Jésus, voilà un détail dont la portée tragique n'est pas toujours aperçue. Dans le monde chrétien, nous basant exclusivement sur quelques textes évangéliques compris hors de tout contexte, nous sommes par trop habitués à considérer le mot «pharisien» comme un simple synonyme d'«hypocrite» pour apprécier le drame dans toute son ampleur. En effet, parmi les groupes les plus en vue au temps de Jésus, les Pharisiens avaient de sérieuses raisons pour former une clientèle naturelle de Jésus. Hommes pieux vivant dans l'attente du Royaume de Dieu, ils s'efforçaient de hâter sa venue en appliquant la Parole de Dieu, la Torah, dans le concret quotidien de leur vie jusqu'en ses plus menus détails. Et il semble même que nous pouvons discerner dans les évangiles, en filigrane, une première période où l'amitié se nouait entre Jésus et les Pharisiens[5]. A titre d'exemple, il suffit de mentionner les Pharisiens qui viennent prévenir Jésus contre les menaces d'Hérode (Lc 13.31). Les exégètes, d'ailleurs, sont largement d'accord pour dire que, du point de vue chronologique, Mc 3.6 vient beaucoup trop tôt et doit en fait provenir d'une période plus tardive dans le ministère de Jésus. Car à un moment donné la rupture est survenue; elle s'est aggravée et s'est maintenue même après la mort de Jésus lorsque, après la destruction du Temple en l'an 70 de notre ère, le courant représenté par les Pharisiens a entrepris de consolider les bases du judaïsme à partir de ses propres traditions. C'est surtout cette rupture-là qui a laissé sa marque sur les évangiles, malgré des exceptions importantes comme Nicodème (Jn 3.1; 19.39) et Saul de Tarse (Ph 3.5).

Pourquoi les choses se sont-elles passées ainsi? D'après les récits évangéliques, entre autres les controverses que nous venons de considérer, les Pharisiens sont surtout choqués par l'attitude de Jésus envers les préceptes de la Torah: les lois de pureté (cf. 7.1-4), le jeûne, l'observance du sabbat... A son tour, Jésus leur reproche de mélanger de simples traditions humaines avec la Parole de Dieu, d'en faire une lecture toute extérieure qui en obscurcit la signification véritable (Mc 7.6-13; cf. Mt 23). Jésus, par contre, montre une liberté souveraine vis-à-vis des commandements de la Torah, comme quelqu'un qui s'y sent totalement chez lui et non pas comme un invité, un hôte de passage. Il fait preuve d'une liberté «non...de détruire et de bouleverser, mais d'aller à l'essentiel»[6]. Ainsi, en refusant de laisser souffrir un homme infirme le jour du sabbat, Jésus agit en «maître du sabbat» (2.28). Il en dévoile le vrai sens: c'est le Jour du Seigneur, le Dieu de la vie, Celui qui veut donner aux humains la vie en plénitude — Jour qui justement trouve son accomplissement maintenant, dans le *kairos* de la venue du Règne et de son héraut.

Une source de mésentente plus profonde encore entre Jésus et les Pharisiens devient manifeste dans le récit de l'appel de Lévi et le repas pris chez lui (2.13-17). La propension de Jésus à aller vers ceux qui sont le plus loin de Dieu et qui ont le plus besoin d'une guérison contrecarre radicalement l'exclusivisme des Pharisiens, dont le nom même signifie «les séparés»[7]. Cet exclusivisme, il faut le dire, n'était pas motivé fondamentalement par des raisons négatives, par le désir de refuser à quiconque une communion avec Dieu. C'était simplement l'autre face de leur souci d'étudier et de vivre la Loi dans toute sa pureté et son ampleur: il fallait donc se distancer soigneusement de ceux qui ne voulaient — ou ne pouvaient — accepter les mêmes exigences. Cette distance était au fond une marque de leur sérieux, de leur horreur des compromissions. Or Jésus, lui, obéit à une toute autre exigence, le désir de rendre manifeste la miséricorde gratuite de Dieu, plus éclatante précisément là où elle se mérite le moins (et qui peut la mériter?). Derrière un souci commun pour les choses de Dieu, derrière une manière différente de traiter sa Parole révélée, c'est donc en dernier ressort une divergence dans la conception de Dieu qui sépare Jésus des Pharisiens. Eux aussi sont invités à une conversion du cœur et du regard, à un accueil de l'amour inouï de Dieu, conversion d'autant plus exigeante pour eux que leur acquis est plus grand.

Au-delà des frontières

Il est de la plus haute signification que la propension de Jésus à faire cause commune avec ceux qui ne suivaient pas les voies, les commandements de Dieu, ait été un sujet de discorde entre lui et les Pharisiens. En effet, toute forme d'exclusivisme est aussi étrangère que possible à la façon de procéder de Jésus et à la dynamique du Royaume qu'il annonce. Obéissant à sa logique profonde, le chemin de Jésus tend à surmonter toutes les frontières humaines et à transformer les obstacles en points de départ pour un champ d'activité plus vaste.

Nous avons déjà remarqué qu'à l'intérieur du peuple d'Israël, Jésus se sent comme poussé irrésistiblement vers les plus nécessiteux, vers ceux qui sont apparemment les plus loin de l'amour de Dieu. Ainsi il côtoie à tout moment des gens «impurs» — lépreux, collecteurs d'impôts, prostituées — sans imaginer le moins du monde être «contaminé» par eux. L'influence va plutôt dans l'autre sens: si Jésus touche un lépreux, celui-ci retrouve la pureté du corps (1.40-42). Pour leur part ces marginaux savent que Jésus les accepte et les aime tels qu'ils sont (2.15b). Choisir comme l'un de ses intimes Lévi, un collecteur d'impôts, membre d'une classe particulièrement détestée pour des raisons politiques, morales et religieuses, en dit long (2.14). Et la scène suivante, où Jésus mange dans sa maison avec «beaucoup de collecteurs d'impôts et de pécheurs» est encore plus stupéfiante, lorsqu'on se souvient du sens fort qu'avait l'acte de prendre un repas avec quelqu'un dans le monde de l'époque. Un tel partage de nourriture signifiait la reconnaissance d'un lien profond entre les convives. Dans cette maison, Jésus crée et exprime une communion fondée non sur les mérites des participants ni sur une appartenance commune sur le plan humain, mais uniquement sur la miséricorde gratuite de Dieu (cf. Mt 9.13) manifestée par sa venue (2.17). Si en Jésus Dieu vient vers ceux qui sont le plus éloignés de lui, c'est dire que son amour est source de guérison pour tous.

Le chemin du Règne va même amener Jésus au-delà des frontières de la terre d'Israël. Tout comme pour l'expansion du Règne dans les premiers chapitres de l'évangile, il s'agit moins d'une décision explicite de Jésus que d'une obéissance à des lois dont il n'est pas entièrement maître. On peut même déceler des éléments d'hésitation en lui (7.27,36; 8.9b), comme si le temps pour cette mission n'etait pas encore venu. Ses sorties en dehors d'Israël prennent alors figure d'une anticipation symbolique de l'avenir.

La première activité de Jésus en terre païenne est une traversée du lac vers «le pays des Géraséniens» (5.1-20). Le récit nous montre le monde des païens vu à travers le prisme juif. Un monde à l'envers, où les vivants demeurent dans les tombeaux, où des hommes vivent comme des fauves, où des porcs — animal impur entre tous — se trouvent sur les hauteurs. Dans cet univers rocambolesque Jésus va exorciser les esprits impurs et restaurer ainsi un semblant d'ordre, mais les habitants ne veulent pas qu'il reste parmi eux. De son côté, Jésus n'accepte pas l'ancien possédé comme disciple, il l'envoie comme héraut de la miséricorde divine auprès des siens. Si dans cette contrée Jésus opère des guérisons tout comme il l'a fait chez lui, cela ne représente au fond qu'une brève parenthèse dans son activité au milieu de son peuple.

Un peu plus tard, Jésus fait encore un voyage en dehors des confins de la Galilée (7.24ss). D'après le contexte ce n'est nullement pour proclamer la Bonne Nouvelle, mais plutôt pour retrouver la solitude avec ses disciples après une confrontation assez vive avec les Pharisiens: «étant entré dans une maison, il ne voulait pas que personne le sût...» (7.24b). Mais cette discrétion est inutile, car le rayonnement du Règne l'a déjà précédé et a ébranlé les cœurs: «...mais il ne put rester ignoré». Une femme païenne vient à lui, et lui demande de guérir sa fille. La réponse de Jésus laisse bien pressentir la complexité de son attitude envers l'élargissement de sa mission en dehors d'Israël: «Laisse d'abord les enfants se rassasier, car il ne sied pas de prendre le pain des enfants et de le jeter aux petits chiens.» Pas de refus absolu, mais la constatation d'une priorité due à son peuple. L'expression «petits chiens» n'est pas à considérer comme une injure: ils appartiennent eux aussi à la famille, mais pas sur pied d'égalité avec les juifs. Qualifier de «chiens» les païens était monnaie courante à cette époque de particularismes: en remplaçant le mot par son diminutif, Jésus transforme l'insulte en une expression de tendresse et même y ajoute un brin d'humour. A-t-on le droit d'y voir aussi l'écho d'un débat intérieur en Jésus? En tout cas la réponse de la femme, sa confiance et son espérance, tranche la difficulté et provoque l'annonce de guérison.

Les deux récits suivants se passent eux aussi vraisemblablement en terre païenne. Jésus guérit un sourd-muet (7.31-37), et ensuite il nourrit une grande foule avec sept pains (8.1-10), comme il l'avait fait auparavant pour ses compatriotes (6.30-44). Ici c'est la compassion — les entrailles maternelles — de Jésus qui provoque le miracle, l'impossibilité de renvoyer des gens «venus de loin» sans combler leur faim. L'expression «venus de loin» évoque discrètement le rassemblement universel attendu pour le temps du salut (cf. Is 60.4) et préfiguré dans ce repas. Ainsi nous voyons que les lois du Règne auxquelles Jésus se soumet pleinement portent à un élargissement continuel des horizons, même si pour sa part Jésus est conscient que son drame personnel doit se jouer surtout à l'intérieur de son peuple, voire au cœur de la nation, dans la ville sainte de Jèrusalem.

Matthieu: Jésus, Maître universel

Les deux autres évangiles synoptiques gardent chacun la perspective fondamentale de Mc en ce qui concerne le ministère galiléen de Jésus, tout en l'adaptant à leurs préoccupations spécifiques. MATTHIEU est, au fond, moins intéressé par le chemin de Jésus que par une présentation *synchronique* de sa personne comme maître et thaumaturge, accomplissement des Ecritures et rassembleur d'une communauté nouvelle. Mû par un souci plus doctrinal et systématique qu'historique, Mt structure son évangile à partir de longs discours intercalés entre des sections narratives; ces discours proviennent d'une source inconnue de Mc. Comme maître et juge, Jésus chez Mt *s'assied* volontiers (Mt 5.1). Les gens *s'approchent* de lui (presque jamais l'inverse) et même *se prosternent* devant lui

(8.2; 14.33;...)[8]. Cet être majestueux est cependant toujours le Pèlerin: sans un lieu où reposer sa tête (8.20), il parcourt toute la Galilée suivi par de grandes foules (4.23-25). Il est également le Serviteur prophétisé par le Second Isaïe qui accomplit sa mission dans une grande discrétion (12.15-21). Il est, enfin, *ho erchomenos*, Celui-qui-vient (3.11; 11.3): par ce titre messianique Mt résume le portrait de Jésus donné par Mc.

Tout en gardant la priorité de la proclamation de la Bonne Nouvelle à Israël (Mt est le seul à rapporter cette consigne de Jésus aux Douze (10.5b-6; cf. 15.24): «Ne prenez pas le chemin des païens et n'entrez pas dans une ville de Samaritains; allez plutôt vers les brebis perdues de la maison d'Israël»), le premier évangile indique clairement sa portée universelle. Mt débute le ministère galiléen de Jésus par une citation d'Isaïe (4.12-16) qui explique la signification géographique des commencements: la lumière se lève d'abord dans la «Galilée des nations», aux confins de la Terre promise, région où juifs et païens se côtoient, image du monde entier. Le résumé qui suit (4.23-25) décrit le progrès de cette lumière: Jésus parcourt «*toute* la Galilée», enseignant et guérissant, tandis que sa renommée se répand vers «*toute* la Syrie». On lui amène «*tous* les malades» et de grandes foules de partout le suivent. Si Mt suit largement ici le schéma de Mc, il souligne plus fortement encore le caractère universel de la mission.

En même temps, Mt insiste volontiers sur le *rejet* de Jésus par des membres de son peuple, notamment par les élites religieuses. En critiquant le refus de son message Jésus emprunte des accents prophétiques, témoin l'emploi de l'expression «cette génération» (11.16; 12.39,41; 17.17; cf. 3.7; Mc 8.12; Ez 2.5; Dt 32.5; Is 1.4) qui marque la distance entre l'homme de Dieu et son auditoire récalcitrant. «Cette génération», elle, considère Jésus comme «un glouton et un ivrogne, un ami des publicains et des pécheurs» (11.19), mais ce sont des «hypocrites» dont la religion est toute extérieure (6.1 etc.), des «sages» et «habiles», insensibles au mystère du Royaume (11.25). Ce refus est d'abord décrit de façon globale: ce sont des «villes d'Israël» qui n'accueillent pas le message (ch. 10) ou qui ne comprennent pas la portée de ce qu'ils ont vu (11.20-24).

Mais bientôt il devient clair que Jésus vise surtout les «scribes et Pharisiens», expression stéréotypée pour évoquer les élites du peuple. Ils demandent un signe tout en méconnaissent ce qui se passe sous leurs yeux (12.38-42), ils «voient sans voir» (cf.13.13-15) et par là ils sont comparés à «des aveugles qui guident des aveugles» (15.14). A ces hommes-là sont opposés les disciples, les «tout petits» auxquels Dieu a révélé son mystère (11.25) et qui sont proclamés «heureux» (5.1-11; 13.16). Aux antipodes du «joug de la Loi» prôné par les Pharisiens et de leur école austère, voire rigoriste, le joug et l'école de Jésus sont une source de réconfort, un baume pour tous ceux qui souffrent (11.28-30).

En parlant ainsi de l'universalité du chemin de Jésus et de l'opposition à son message, Mt développe des germes déjà présents chez Mc et remontant presque certainement à Jésus lui-même. Mais la façon matthéenne de structurer ces deux thèmes relève surtout de raisons pastorales et doctrinales. D'abord, l'accent mis sur la mission auprès des païens et la rupture avec la synagogue reflètent sans doute la situation en Syrie vers les années 80, durant lesquelles vraisemblablement Mt composait son évangile. Ensuite, il y a certainement un intérêt systématique et doctrinal dans la façon dont Mt combine le thème du refus par son peuple (porté à son extrême sur la croix) et l'élargissement du Royaume à toutes les nations (fruit de la résurrection). Le regard rétrospectif de l'évangéliste discerne ainsi les germes du mystère pascal dès le début du ministère de Jésus.

Ainsi, par exemple, après le sermon sur la montagne, dans les tous premiers miracles qu'il raconte, Mt intercale entre deux récits marciens la guérison du serviteur (ou de l'enfant) d'un centurion, un militaire païen (8.5-13). Jésus répond tout de suite à sa demande: «Je vais aller le guérir.» Mais le centurion se sent indigne de cette venue, une simple parole de Jésus ferait son affaire. C'est l'occasion pour Jésus, louant la foi de ce non-juif, d'énoncer la thèse chère à Mt:

En vérité, je vous le dis, chez personne je n'ai trouvé une telle foi en Israël. Eh bien! je vous dis que beaucoup viendront du levant et du couchant prendre place au festin avec Abraham, Isaac et Jacob dans le Royaume des Cieux, tandis que les fils du Royaume seront jetés dans les ténèbres extérieures: là seront les pleurs et les grincements de dents. (8.10b-12)

Le refus d'Israël permettra aux humains venus des quatre coins de la terre d'accéder au Royaume. Dans les versions de cette histoire racontées par Lc et Jn, cette conclusion est absente. Chez Lc les «anciens des juifs» servent même comme intermédiaires entre Jésus et le romain, expliquant qu'il est un craignant-Dieu (Lc 7.4-5). Chez Jn, l'homme devient un fonctionnaire royal, donc vraisemblablement un juif, et sa recherche de «signes et prodiges» est blamée par Jésus (Jn 4.46-54). Ce récit indique bien comment les traditions enracinées dans la vie de Jésus reçoivent des éclairages différents selon les préoccupations de chaque évangéliste.

Mt souligne donc volontiers la perspicacité et la disponibilité des païens, combien plus grandes que celles des juifs. Cela ressort d'une autre parole rapportée par lui où «cette génération» incrédule (il s'agit des Pharisiens qui réclament un signe) est comparée aux hommes de Ninive et à la reine du Midi. Eux ont su lire les signes des temps, «et il y a plus ici...» (12.38-42). Ainsi la venue de Jésus, le grand Rassembleur, mène en fait à une division, puisqu'elle oblige les humains à prendre position pour ou contre lui (cf. 12.30). D'où l'image d'un glaive — un objet qui tranche — reprise par Jésus pour décrire sa mission (10.34-36; cf. Lc 2.34-35; Hb 4.12).

Luc: les étapes du salut

Si Mt nous donne surtout une présentation synchronique de Jésus, montrant dès le début tous les grands thèmes de son message à cause de leur intérêt pour la communauté chrétienne d'une époque postérieure, LUC, lui, est davantage concerné par l'évolution progressive du déploiement du Règne, sa vision est plus *diachronique*. Son optique d'historien saute aux yeux déjà dans les prologues de ses ouvrages (Lc 1.1-4; Ac 1.1). Encore faut-il se garder de considérer l'historiographie de Lc selon les critères modernes de la reconstruction du passé. Car lui non plus n'hésite pas à systématiser, à schématiser, mais c'est pour mieux marquer les étapes successives que la mission de Jésus doit connaître. En écrivant son évangile Lc a gardé des blocs de matériel marcien, les plaçant entre des sections qu'il a empruntées à d'autres sources. Or, fait extrêmement significatif, Lc élimine systématiquement tout ce qui se passe en dehors des confins de la Galilée et de la Judée. A une exception près, car il garde le récit de la guérison d'un possédé sur l'autre rive du lac, récit assez défavorable au monde païen. Par là Lc veut indiquer clairement que le moment n'est pas encore venu pour l'élargissement du Règne à l'ensemble des nations: ce sera le fruit de l'accomplissement terrestre de la mission de Jésus. Sa mort et sa résurrection prépare le nouveau commencement par le don de l'Esprit à la Pentecôte, étape ultérieure racontée longuement par Lc au livre des Actes.

Au début de la vie publique de Jésus en Galilée, Lc place un récit qui résume pour lui le déroulement de sa mission. Sa prédication dans la synagogue de Nazareth, sa ville d'origine, se situe plus tard dans les chronologies de Mc et Mt. Elle sert admirablement à Lc comme point de départ «logique» de la carrière de Jésus. Son ministère commence ainsi pleinement chez les siens: Jésus *vient* à sa «patrie», plus précisément au centre religieux de sa ville, la synagogue, il fait la lecture des Ecritures et annonce leur accomplissement «aujourd'hui» (4.16-22). De cette façon, Lc souligne d'emblée et la continuité du dessein de Dieu et les étapes différentes, de la préparation et de l'accomplissement. Mais aussitôt les choses se compliquent: Jésus provoque ses concitoyens en leur annonçant que le salut n'est pas pour eux, ici, mais pour d'autres, plus loin. C'est une manière extrêmement condensée de résumer le plan divin qui englobe et le refus d'Israël et l'annonce faite aux nations païennes: la mentalité biblique, en effet, considère souvent les conséquences de l'activité de Dieu comme déjà incluses dans l'intention divine qui la met en route (voir par ex. Is 6.9-10). On ne distingue pas ici les plans de cause et d'effet, d'initiative divine et de liberté humaine comme nous avons l'habitude de le faire.

L'émerveillement des habitants de Nazareth se mue alors en colère, ils jettent Jésus hors de la ville et le mènent à un lieu où il devrait mourir. La violence de ses compatriotes et la passivité de Jésus soulignées par ces verbes préfigurent clairement la fin de sa vie terrestre dans un avenir relativement proche. Telle n'est pourtant pas la fin du récit, qui se termine par ces paroles étonnantes: «Mais lui, passant au milieu d'eux, allait son chemin...» (4.30). Préfiguration de la résurrection d'autant plus frappante qu'elle reste inexpliquée. Pour notre sujet il est significatif que la résurrection soit décrite comme un passage — une pâque — au milieu d'un peuple hostile et puis comme un cheminement, en d'autres termes comme une libération et comme un pèlerinage, réédition de l'Exode d'Egypte et de la traversée du désert. Annonce d'un accomplissment, enthousiasme suivi par une hostilité croissante, tentative de mise à mort et libération finale: voilà les étapes de l'évangile raconté par saint Luc.

Lc souligne autant que Mc l'explosion de la Bonne Nouvelle dans un premier temps — et ceci d'une façon très concrète. C'est «dans la puissance de l'Esprit» (4.14; cf. 4.1,18 etc.) que Jésus vient et agit. Pour Lc, l'Esprit est une réalité dynamique douée de sa propre logique, une «puissance» ou «force» tangible par laquelle Jésus guérit et touche les cœurs (5.17; 6.19; 8.46). Par son propre souffle de vie, Dieu est donc pleinement présent sur la terre dans l'activité de Jésus. A travers la venue de ce «grand prophète», le Dieu-pèlerin séjourne parmi son peuple (7.16; cf. 1.68; Jn 1.14). Jésus ne peut pas rester fixé à un seul endroit, car Dieu l'a envoyé proclamer la Bonne Nouvelle du Règne ailleurs aussi (4.42-43)[9]. Le Seigneur adopte ainsi une forme d'existence pérégrinante (8.1), il traverse les lieux déserts et sert de point de rencontre pour «de grandes foules», qui viennent l'écouter et recevoir de lui une plénitude de vie (5.15-16; 8.4 etc.).

Un dernier trait souligné par Lc dans son portrait de Jésus est sa *compassion* et l'intérêt qu'il porte aux *exclus* de la société de l'époque. Jésus rend la vie à l'enfant unique d'une veuve (7.11-17), il exalte la justice des collecteurs d'impôts (7.29), il n'a pas de paroles dures envers sa famille d'origine (cf. Lc 8.19-21 et Mc 3.31-35).

Et Lc montre une plus grande attention aux *femmes*, les situant dès le début en compagnie de Jésus et des Douze (8.2-3; cf. Ac 1.14), fait insolite à l'époque, et les mettant en scène souvent dans les paraboles racontées par Jésus (par ex. 15.8-10; 18.1-5).

———

Dans une diversité de langages et d'images, les évangiles synoptiques nous décrivent le Dieu-pèlerin, le Dieu d'Israël, qui vient à son peuple à travers une simple existence humaine. Jésus est Celui-qui-vient, et sa venue n'est pas pour réaliser un jugement impitoyable ou une séparation de l'humanité en deux camps; elle consiste dans une offre de la vie en plénitude. Jésus vient pour rendre présente, par ses paroles et par ses actes, une réalité stupéfiante, un Dieu dont le dernier secret réside dans son amour sans conditions, un Dieu qui offre à tous un nouveau commencement dans une communion de vie avec lui.

Cette réalité dont Jésus est le porteur et l'incarnation est extrêmement dynamique, elle tend à surmonter l'une après l'autre toutes les barrières érigées par les humains pour se défendre ou se justifier. Elle «pousse» (cf. Mc 1.12) Jésus constamment sur les routes, dans une existence pérégrinante pleine d'imprévus. Comme le semeur qui sort pour jeter son grain à droite et à gauche, comme le médecin qui court vers les plus malades, la venue de Jésus est commandée uniquement par sa finalité, par la plénitude de vie qu'elle rend possible.

L'existence de Jésus possède une force d'attraction. Son «venir» dans le monde provoque un «venir» des autres à lui, un venir aux motivations multiples. Tout se mêle, de la simple curiosité jusqu'au désir authentique d'un dépassement dans une communion avec Dieu. Autour de lui se rassemblent des foules en quête de réconfont ou de guérison (Mc 3.20; 4.1; 5.21 etc.), frappées par l'autorité «naturelle» qui émane de sa personne (Mc 1.22). Et parmi ceux qui viennent, certains, d'une manière mystérieuse, sont associés à son ministère. Ils l'accompagnent et à leur tour sont envoyés aux autres pour témoigner de la réalité nouvelle qu'ils ont découverte.

En tout cela, rien qui heurte. Mais lentement une autre dimension du chemin de Jésus apparaît et s'affirme. Elle va à l'encontre de l'expansion progressive et paisible du Royaume de Dieu. La source ne deviendra pas automatiquement, sans problèmes, un fleuve qui nourrit un grand lac. Au contraire, au fur et à mesure que Jésus avance dans sa mission, grandit aussi une *résistance* envers sa personne et son œuvre. Bien que destinée à tous sans exception, la Bonne Nouvelle rencontre un refus chez certains et crée de la sorte une division. A un premier niveau, ce semble être une affaire de compréhension: les disciples autour de leur maître sont ainsi distingués de «ceux du dehors» pour qui le message reste énigmatique (Mc 4.11). Mais en dernier ressort il s'agit bien plutôt d'une option profonde, d'un refus de s'ouvrir à la nouveauté bouleversante du message et de changer sa vie en conséquence. La peur et l'incompréhension se mue en violence, en nécessité de faire disparaître le gêneur. La progression lente, inexorable du Règne de Dieu prend toujours davantage figure d'un combat acharné entre la vie et la mort. Pour les évangélistes cela est évident dès le début, lorsqu'ils présentent Jésus en train de chasser les esprits du mal ou de se comparer à l'homme qui entre chez l'homme fort pour le ligoter et piller sa maison (Mc 3.27). Peu à peu, cette opposition va déterminer toujours plus le chemin de Jésus et le déroulement de son évangile.

POUR LA RÉFLEXION

1.Quelles sont les ressemblances et les différences entre la vocation d'Abraham (Gn 12.1-4) et l'appel des premiers disciples de Jésus (Mc 1.16-20)? Qu'apprenons-nous de la vie de foi en comparant ces deux récits?

2. La guérison des malades est un signe important à travers lequel Jésus révèle son identité. En Mc 2.1-12, la guérison corporelle d'un homme paralysé devient le signe d'une guérison plus profonde qui s'appelle le pardon. Où avons-nous besoin dans notre existence de cette guérison intégrale? Où la trouver? Comment l'accueillir? Comment, aujourd'hui, poser autour de nous des gestes de guérison et de pardon à la suite du Christ?

3. *La venue de Jésus sur la terre appelle les autres à venir à lui. Qu'est-ce qui m'attire, pour ma part, dans la personne et le message de Jésus? Comment approfondir une relation de communion avec lui?*

4. *L'appel de Jésus nous ouvre à un élargissement des perspectives, à un dépassement continuel des frontières en vue d'une communion universelle. En réfléchissant sur mon propre cheminement, où est-ce que je découvre cet élargissement? Puis-je en préciser quelques étapes? Y a-t-il des résistances, des barrières à cette ouverture en moi et autour de moi? En vue d'avancer vers cette vision universelle, quel est le défi pour moi actuellement?*

NOTES DU CHAPITRE II

1. Le parallèle est encore plus proche entre l'Evangile et le Targum juif, paraphrases des Ecritures en araméen utilisées au temps de Jésus par des juifs qui ne comprenaient pas l'hébreu. Le Targum d'Is 52.7 reproduit ainsi la fin du texte: «...qui dit à la communauté de Sion: "Le Royaume de ton Dieu s'est manifesté!"» (Strack-Billerbeck III, 8). Voir Heinz GIESEN, «Jésus et l'imminence du Règne de Dieu selon Marc,» dans *La Pâque du Christ, Mystère du salut. Mélanges F.-X. Durrwell* (Lectio divina, 112), Cerf, 1982, p. 98.

2. Dans le monde grec, l'expression *euangelion* est employée notamment pour des événements marquants, tels la victoire dans une guerre, la naissance ou l'intronisation d'un empereur. Voir art. *euangelion* dans G. Kittel, *Theologisches Wörterbuch zum Neuen Testament*, Vol. II, p. 719-722.

3. Voir Harry FLEDDERMANN, «And He Wanted to Pass by Them (Mark 6:48c),» *Catholic Bible Quarterly*, Vol 45, no. 3 (July 1983), p. 389-395.

4. Jacques GUILLET, *Entre Jésus et l'Eglise* (coll. Parole de Dieu), Seuil, 1985, p. 44-46,48, souligne l'utilisation du verbe «faire» par Mc pour exprimer l'aspect nouveau, inédit de ce que fait Jésus. «Je vous ferai pêcheurs d'hommes...Il en fit Douze» (Mc 1.17; 3.16). «C'est un trait qui distingue immédiatement ses disciples de ceux des rabbins...le "faire" rappelle assez naturellement le "Je ferai de toi un grand peuple" de Gn 12.2.»

5. C'est la thèse de W.D. DAVIES, «Matthew 5:17,18,» dans *Mélanges Bibliques en honneur d'A. Robert* (Trav. de l'Institut Catholique de Paris, 4), Bloud et Gay, 1957, p. 428-456.

6. GUILLET, p. 92.

7. A vrai dire nous ne savons pas avec certitude que les Pharisiens utilisaient ce nom en ce sens. Il y a un problème historique dans l'identification de ce mouvement précurseur du judaïsme rabbinique. Les rabbins pour leur part appelaient leurs devanciers «les sages» (*hakamim*). Les Pharisiens (*perushim*) furent-ils des *hakamim* extrémistes, separatistes? Voir l'étude de John BOWKER, *Jesus and the Pharisees*, Cambridge: The University Press, 1973.

8. Béda RIGAUX, *Témoignage de l'évangile de Matthieu* (Pour une histoire de Jésus, II), Desclée de Brouwer, 1967, p. 253-255.

9. Ce texte (Lc 4.43b) est un bon exemple du «passif divin». Pour les juifs, le nom divin est entouré d'un tel respect qu'il ne doit être prononcé qu'une fois par an, par le grand prêtre à l'occasion de la Fête du Pardon. Ils utilisent en général différentes tournures afin d'éviter de parler directement de Dieu: des euphémismes (Mc 14.61 le Béni; Mc 14.62 la Puissance), des paraphrases (Lc 6.23 «votre récompense sera grande dans les cieux») et notamment le passif grammatique. Ainsi lorsque Jésus dit «c'est pour cela que j'ai été envoyé» il veut dire: «c'est pour cela que Dieu m'a envoyé» (cf. aussi Mt 5.5,6,7; Lc 11.9 etc.).

III

Synoptiques 2:

La montée à la Ville

La première moitié des évangiles synoptiques décrit la venue dans le monde de la Nouveauté bouleversante de Dieu. C'est essentiellement un mouvement centrifuge, un aller-vers-les-autres qui provoque un venir des autres en retour, ainsi que des résistances. Dans la deuxième moitié, le choix pour ou contre Jésus devient plus manifeste, et la confrérie des pèlerins prend plus clairement une identité et une destination. Jésus est presque toujours en compagnie de ses disciples, et lentement leur pèlerinage devient une montée vers Jérusalem, centre religieux du peuple de Dieu. C'est comme si, loin de vouloir fuir les difficultés ou bâtir une religion toute neuve sur d'autres fondements, Jésus était conscient que son sort est lié coûte que coûte à celui de son peuple.

Dans le judaïsme post-exilique, Jérusalem et son Temple reconstruit est le centre virtuel du monde, où, à la fin, Dieu viendra pour régner sur son peuple, voire sur l'ensemble de l'humanité. Sa venue donnera lieu à un jugement, un combat titanesque contre les forces du mal et en faveur de ses élus, peut-être par le truchement de son lieu-tenant sur terre, le «messie». Or cette problématique de combat et de jugement, de mort et de vie est reprise dans les évangiles, mais de manière très inattendue. Le messie entre dans sa ville, il y a combat et jugement, effusion de sang qui mène à une vie nouvelle, dispersion et rassemblement, mais qui aurait pu deviner à l'avance que cela se passerait de cette façon-là?

Un chemin vers la mort

Chez Mc, les versets 8.27 - 9.13 forment le centre et le tournant de l'évangile, l'aboutissement de la première partie et l'introduction d'une étape nouvelle. Depuis un certain temps Jésus a transmis le message du Règne en paroles et en actes, et certains ont tout quitté pour le suivre. Néanmoins, tout comme ses adversaires (8.11-13), les disciples de Jésus ont de la difficulté à comprendre leur maître (8.14-21), tant son comportement est insolite. C'est qu'il agit à partir d'un lieu auquel ils n'ont accès que par la confiance en lui. La compréhension ne peut alors venir à eux que comme une grâce, un don de claire vision (cf. 8.22-26).

A ce moment vient le miracle, la nouvelle percée. Jésus se trouve avec ses disciples en chemin dans une contrée très lointaine; la situation géographique ne fait que renforcer le climat d'incompréhension et d'hostilité de ce temps après la mort du Baptiste (6.17-29). A brûle-pourpoint il leur pose la question essentielle: Qui suis-je? D'abord au plan humain («au dire des gens...»), et là de multiples réponses sont possibles: à elle seule, l'intelligence humaine ne peut qu'aboutir à une diversité sans espoir d'unité. Ensuite la question devient plus personnelle («pour vous...»), elle appelle une réponse non pas sociologique mais existentielle et théologique. Et Pierre confesse, au nom de tous: Tu es le Messie, celui qu'Israël attend depuis des siècles en vue de sa libération définitive.

Par ces paroles, il est donné à Pierre de viser bien au-delà de ce qu'il peut comprendre humainement. Cela devient vite manifeste, lorsque Jésus commence à leur enseigner de quelle manière il vivra sa mission, en passant par la souffrance et la mort. Alors Pierre le tire à part et commence à lui faire la leçon, provoquant ces paroles dures de Jésus: Retire-toi! Derrière moi, Satan! (8.33). Pierre oublie que la seule possibilité de comprendre le mystère de son Maître est de rester dans l'attitude confiante du disciple envers lui, d'«aller derrière lui» au lieu de vouloir le devancer par ses propres vues limitées. C'est pourquoi aussi l'injonction au silence suit la confession de Pierre (8.30): ce n'est pas un refus de la part de Jésus, seulement il sait que cette proclamation est prématurée tant que la pleine signification de sa messianité n'est pas révélée. Dans sa version de l'événement (Mt 16.13-20), Mt insiste par des paroles intercalées (v.17-19) sur l'importance de la confession de Pierre pour l'existence de l'Eglise: dorénavant une communauté existe, fondée non sur des opinions ou idées humaines et donc chancelantes mais sur l'activité de Dieu au cœur du monde.

Même chez Mc, le reproche fait à Pierre ne doit pas nous faire oublier qu'un pas essentiel a été fait. La reconnaissance de son identité comme l'Oint de Dieu rend possible un nouveau commencement. Jésus peut maintenant dévoiler «ouvertement» (8.32) le *sens* de cette identité:

> Et il commença de leur enseigner: Le Fils de l'homme doit beaucoup souffrir, être rejeté par les anciens, les grands prêtres et les scribes, être tué et, après trois jours, ressusciter. (8.31)

Dieu veut (la tournure «il faut» est souvent utilisée dans les évangiles pour évoquer le dessein de Dieu prédit ou promis dans les Ecritures) que son Oint suive le chemin de l'abaissement et de la mort, comme le Serviteur du Second Isaïe (CD 184-196). Cette volonté du Père n'est pas motivée par un désir pervers de faire souffrir, car au moins depuis le prophète Ezéchiel il est clair que Dieu ne saurait désirer la mort de quiconque (cf. Ez 18.23,32; 33.11) et encore moins de son «Fils bien-aimé» (Mc 9.7). Elle indique plutôt le chemin obligatoire pour que le salut puisse atteindre les extrémités d'une terre marquée par la haine et la suffisance. La route de Jésus — et de son disciple (8.34-38) — est la route de la croix, du don de soi-même. Seul ce don libre et gratuit peut fléchir la liberté humaine repliée sur elle-même dans une attitude crispée de refus. Autrement dit, seul l'amour peut vaincre la mort.

Car il s'agit en fait d'une victoire paradoxale, non pas d'un échec. En plein milieu des paroles sur la souffrance et la croix à porter, Jésus parle d'une résurrection (8.31), d'une venue du Fils de l'homme «dans la gloire de son Père» (8.38) et du «Règne de Dieu venu avec puissance» (9.1). Plus encore, le récit suivant, celui de la Transfiguration (9.2-10), authentifie la confession de Pierre en révélant la plénitude de l'identité de Jésus. C'est une anticipation, dans un climat de théophanie (cf. la montagne v. 2 et la nuée v. 7), de l'exaltation définitive de Jésus (cf. les vêtements blancs, 9.3 et 16.5), préparée par toute l'histoire d'Israël, et tout dernièrement par la venue et la mort de Jean-Baptiste, nouvel Elie (9.4,11-13). Aux intimes, le secret a maintenant été révélé ouvertement (cf. 8.32) et pleinement, mais il faudra du temps avant qu'il soit saisi et accepté dans toute son ampleur. Seule la résurrection de Jésus l'éclairera définitivement.

La section suivante de l'évangile de Mc (8.31 - 10.52) est commandée par la notion du chemin de la croix, chemin obligatoire et pour Jésus et pour son disciple. Jésus passe son temps en compagnie de ceux qui sont prêts à le suivre; les controverses avec ses adversaires sont presque absentes de ces chapitres. Il apprend à ses disciples, pas toujours distingués de la foule en général (8.34; 9.14; 10.1,46; cf. 9.40), sa voie: la voie du don de sa vie (8.34ss). Par trois fois (8.31; 9.31; 10.33-34) il leur parle de sa mort et sa résurrection; chaque fois les preuves de leur incompréhension sont suivies par un enseignement sur le comportement du disciple. Les disciples sont ainsi encouragés à porter leur croix derrière Jésus (8.34). Ils doivent s'efforcer d'être les derniers et les serviteurs de tous (9.35; 10.42-44) à l'image de leur Maître, qui «n'est pas venu pour être servi, mais pour servir et donner sa vie en rançon pour une multitude» (10.45).

Les disciples vont boire la même coupe que Jésus, être baptisé du même baptême (10.39). Le modèle qui leur est proposé, aux antipodes du riche incapable de quitter ses biens pour cheminer avec Jésus (10.17-25), est un petit enfant (10.13-16; cf. 9.36-37). Car en définitive ce qui compte c'est la confiance en Jésus (9.23). Un choix radical est demandé (9.43ss), pareil à celui du mariage (10.1-12). Ceux qui quittent tout pour suivre Jésus auront en partage une vie bien meilleure; son entrée dans le monde provoque un renversement des valeurs humaines (10.23-31).

Ces chapitres mettent beaucoup en évidence la notion du *chemin*, comme si les rappels littérals et géographiques de la route (8.27; 9.33; 10.17,32,46,52) et de l'itinéraire (9.30,33; 10.1,32,46) venaient renforcer l'image du cheminement pour décrire la vocation du disciple, sa compréhension progressive et l'imitation de son maître (8.34; 9.38; 10.21,28). Pour Jésus et ses disciples, l'entrée dans la vie (9.43,45) ou dans le Royaume de Dieu (9.47) n'est pas seulement un voyage métaphorique, elle passe par un chemin bien concret, qui traverse la Galilée (9.30) et la Judée (10.1) pour se diriger vers la grande ville de Jérusalem (10.32). Là le prédicateur itinérant aura à se confronter aux notables du peuple, les détenteurs du pouvoir politique et religieux. Au fur et à mesure qu'on s'en approche l'ambiance devient plus menaçante:

> Ils étaient en route, montant à Jérusalem; et Jésus marchait devant eux, et ils étaient dans la stupeur, et ceux qui suivaient étaient effrayés. (10.32a)

L'assurance de Jésus, marchant en tête, fait contraste explicite avec la peur et l'incertitude des disciples.

Le dernier récit avant l'entrée à Jérusalem, la guérison de Bartimée (10.46-52), fonctionne comme une parabole qui résume toute cette partie de l'évangile. Lorsque ce mendiant aveugle est appelé par Jésus, il enlève son manteau et court vers lui. Son dépouillement et sa confiance en Jésus le met en état d'accueillir la vie nouvelle. Sa vue retrouvée moyennant la foi, cet homme qui naguère était assis *à côté du* chemin est maintenant *en* chemin, suivant Jésus. Le disciple n'est pas défini par ses qualités humaines, sa richesse spirituelle ou matérielle, mais uniquement par sa disponibilité à suivre le chemin de Jésus, quoi qu'il arrive.

Mt, dans des chapitres parallèles (16-20), suit essentiellement le même itinéraire que Mc. Il le rend plus actuel en ajoutant des paroles d'enseignement aptes à intéresser la communauté pour laquelle il écrit: sur l'entraide et le pardon entre chrétiens («frères», ch. 18) et sur le célibat pour le Royaume (19.10-12). Deux paraboles offrent une image attirante du Dieu-qui-vient, qui sort à la recherche de l'homme: celle de la brebis égarée (18.12-14) et celle des ouvriers de la onzième heure (20.1-16). Dans cette dernière parabole, le maître de la maison sort quatre fois durant la journée pour embaucher des ouvriers; le soir seulement il les appelle pour leur donner leur salaire. N'a-t-on pas le droit d'y voir une image matthéenne de l'histoire du salut récapitulée en Jésus, qui maintenant va vers les hommes mais qui à la fin des temps siégera sur son trône en compagnie de ses apôtres pour un jugement (19.28; cf. 25.31-46)?

Luc: l'exode à Jérusalem

Lc, lui, fait preuve de beaucoup d'originalité par rapport à Mc et à Mt dans cette partie de son évangile. Il construit les chapitres 9 à 19 comme une longue montée à Jérusalem. Ces chapitres ne suivent pas l'ordre des autres synoptiques, et contiennent beaucoup de matériel propre à Lc. Si la forme de cette section est celle d'un «récit de voyage»[1], il est clair qu'ici, à la différence de Mc, l'accent est mis sur la destination autant que sur le fait d'être en route. Dans son récit de la Transfiguration déjà, Lc a cette phrase significative: «Moïse et Elie ... apparus en gloire, parlaient de son départ (*exodos*), qu'il allait accomplir à Jérusalem» (9.30-31). Jérusalem est ainsi pour Lc le lieu de l'accomplissement, le lieu d'un nouvel Exode. Elle est aussi le lieu de son «assomption», de son enlèvement, comme l'indique l'introduction formelle du «récit du voyage». Voici une traduction aussi littérale que possible de ces phrases denses et significatives:

> Or il arriva que s'accomplissaient les jours de son assomption, et lui durcit sa face pour aller vers Jérusalem, et il envoya des messagers devant sa face. Et allant ils entrèrent dans un village de Samaritains pour préparer pour lui. Et ils ne l'accueillirent pas, parce que sa face était allant vers Jérusalem... (9.51-53)

Style extrêmement formel et biblique, qui marque une étape importante dans la mission de Jésus. Par des allusions scripturaires Lc donne à ce voyage une coloration eschatologique. Il le décrit comme la visitation définitive de Dieu à son peuple, en vue de mettre les choses en ordre.

Dans la traduction grecque des Ecritures juives, le verbe «s'accomplir» avec une durée se réfère à la fin de la désolation de Jérusalem après la période de l'Exil (2 Ch 36.21; Dn 9.2; Jr 25.12; cf. 29.10; Is 60.20; Dn 12.13). De même l'expression «durcir sa face»: elle peut signifier dans la langue biblique la simple détermination à poursuivre sa route (par ex. Gn 31.21; Jr 42.15), mais elle reçoit des prophètes un sens plus précis en référence à Jérusalem. Jérémie l'utilise pour prédire la destruction de la ville à cause de ses péchés (21.10). Ezéchiel, lui, reçoit plusieurs fois de Dieu l'ordre de «durcir sa face» pour prophétiser contre la nation, une fois contre «les montagnes d'Israël» (6.2), une fois contre les faux prophètes (13.17) et plus tard contre Jérusalem et son sanctuaire (21.7). En cela le prophète est à l'image de Dieu, qui durcira sa face contre les anciens d'Israël qui ont des idoles dans le cœur (14.8) et contre les habitants de Jérusalem (15.7). Comme celui de son prédécesseur, le message d'Ezéchiel est une annonce de la destruction de la nation infidèle; et pourtant celle-ci n'est pas sans espoir, car Dieu épargnera un reste (6.8-10) qui retournera à lui; la Ville en ruines sera restaurée et donnée «à celui à qui il appartient» (21.32 var). Plus tard, c'est le Serviteur de Dieu qui doit «durcir sa face» (Is 50.7) pour rester fidèle à sa mission malgré les résistances de la part de ses compatriotes. Enfin, Daniel peut demander à Dieu, dans une prière pour la restauration de Jérusalem, «que ta face illumine ton sanctuaire désolé» (Dn 9.17). Bref, la rencontre «face à face» entre le Seigneur et son peuple implique en même temps jugement et salut, destruction et restauration à partir d'un reste[2].

Chez Lc, il s'agit de la face de Jésus, mais ce visage rayonne de la gloire de Dieu (9.29,32). Ainsi, lorsque Jésus fait route (le verbe *poreuomai*, «aller, faire route», abonde dans cette section, au point que certains le considèrent comme un terme technique[3]) vers Jérusalem, l'évangéliste a en vue l'accomplissement des prophéties concernant la venue de Dieu dans sa ville. Comme le Seigneur (Dieu) en Malachie 3.1, le Seigneur (Jésus) envoie des messagers en avant de lui pour préparer son chemin (9.52). Pour le prophète post-exilique, ce chemin est la venue du Seigneur dans son Temple comme un feu purificateur pour un jugement contre les méchants et la guérison des justes (Ml 3.1-5,19-20). Le messager de Malachie, le prophète Elie revenu à la vie, est identifié par Mc et Mt à Jean le Baptiste (Mc 9.13; Mt 17.12-13; 11.10,14; cf. Lc 1.17,76; Jn 1.21), mais Lc semble voir plutôt l'accomplissement de cette oracle dans l'envoi des soixante-douze disciples deux par deux, rapporté seulement par lui:

> Après cela, le Seigneur désigna soixante-douze autres et les envoya deux par deux en avant de lui dans toute ville et tout endroit où lui-même devait aller. (10.1)

Leur mission est d'annoncer aux villes d'Israël[4] l'irruption imminente du Règne (ici en parallèle avec la venue de Jésus en 9.52) et de les appeler une dernière fois à une conversion. L'enjeu pour la nation est très grave: rejeter Jésus et ses disciples, c'est tourner le dos à Dieu lui-même lors de sa visitation (10.16).

A la différence de Mc et Mt, qui s'intéressent ici presque exclusivement au chemin du disciple, pour Lc le pèlerinage à Jérusalem est ainsi une dernière offre de salut à Israël en tant que peuple, représenté par sa capitale. Les paroles exigeantes de Jésus sont moins une tentative de faire comprendre aux disciples toutes les dimensions de leur vocation qu'une insistance sur le sérieux du choix placé devant l'ensemble de la nation. Dire oui à Jésus, c'est choisir une vie pérégrinante, sans sécurité humaine (9.57-58), c'est faire passer toutes les demandes de la pieté traditionnelle à un rang inférieur (9.59-62; 14.26) face à l'unique essentiel, l'écoute de Jésus (10.38-42). Israël est maintenant appelé instamment à discerner «sur la route» les signes du temps (12.54-59), à comprendre le radicalisme du choix placé devant lui (14.28-32; 13.24) et à renoncer à tout son acquis en vue du Royaume de Dieu (14.33; 18.18-23).

Renoncer ne signifie pas pour autant détruire ou perdre définitivement, la violence pour le Royaume (16.16) est toujours en vue d'un accomplissement (cf. Mt 5.17). La Loi reste valable (16.17) mais sa valeur est d'indiquer le chemin qui mène à la vie véritable

(16.19-31). C'est en ce contexte qu'il faut lire la parabole énigmatique du gérant habile (16.1-8). Jésus enseigne à ses compatriotes la seule attitude correcte envers leurs richesses, tant spirituelles que matérielles: en tirer parti en vue du Règne de Dieu. Tout peut servir, mais cela demande beaucoup d'imagination («habileté», 16.8), en d'autres termes une liberté intérieure, la capacité de discerner la Nouveauté de Dieu au-delà des catégories habituelles qui nous enferment. Car pour Israël la dernière heure a sonné: la gérance lui est retirée (16.2-3), le banquet est prêt (14.17), on va bientôt fermer la porte (13.25), couper l'arbre (13.6-9). Le plus fort vient et prend possession de la maison de l'homme fort malgré ses défenses (11.21-22). Et plus clairement encore, comme Jésus dit aux juifs témoins de ses guérisons: «le Règne de Dieu vient de vous atteindre» (11.20b).

La tragédie de tout cela — et Lc le sait bien au moment où il écrit son évangile — c'est que cet appel à la conversion ne sera pas entendu. La nation d'Israël, représentée surtout (mais pas exclusivement) par ses élites, ne reconnaîtra pas dans son ensemble la visitation de Dieu. «Cette génération» (11.29,50,51; 17.25) est aveugle (11.34-35), incapable à voir les signes de la venue de Dieu (11.29-32; 12.56). Ses représentants s'obstinent à réclamer un signe tandis que dans la personne de Jésus le Règne est déjà à l'œuvre (17.20-21). Leur religion se révèle ainsi comme toute extérieure (11.39-44; 12.1), au-dedans ils offrent un culte non pas à Dieu mais à Mammon, à leur propre confort et bien-être (16.13-14; 18.18-25). Pour cette raison ils ne peuvent que persécuter et tuer les prophètes envoyés par Dieu (11.47-51), quitte à leur bâtir ensuite de somptueux tombeaux.

Le récit du voyage à Jérusalem montre Jésus, tout à fait dans la ligne des prophètes d'Israël, en train d'offrir encore une chance à son peuple, chance qui d'avance s'avère vaine. Cet espoir au-delà de tout espoir caractérise le Dieu de la Bible, qui n'abandonne jamais les siens; il explique également sa souffrance, celle de la fidélité dans l'amour qui ne rencontre que l'infidélité en retour. Jésus pour sa part reprend ce thème dans sa lamentation sur la ville de Jérusalem:

Jérusalem, Jérusalem, toi qui tues les prophètes et lapides ceux qui te sont envoyés, combien de fois j'ai voulu rassembler tes enfants à la manière dont une poule rassemble sa couvée sous ses ailes..., et vous n'avez pas voulu! Voici que votre maison va vous être laissée. Oui, je vous le dis, vous ne me verrez plus, jusqu'à ce qu'arrive le jour où vous direz: «Béni soit celui qui vient au nom du Seigneur!» (13.34-35)

A cause de ce refus, le pèlerinage à Jérusalem devient un chemin vers la souffrance et la mort. Cela non pas parce que Dieu le désirerait comme une fin en soi, mais parce que sa fidélité ne lui laisse pas d'autre issue. Pour être fidèle à son Père et à lui-même, Jésus «doit» aller au centre de la nation pour confronter son peuple à la réalité de Dieu et à leur attitude devant lui. Quelles que soient les conséquences, c'est l'unique possibilité pour leur salut. Cela, Jésus l'explique à des Pharisiens bien intentionnés mais leurrés qui lui conseillent de fuir devant la menace d'Hérode:

A cette heure même s'approchèrent quelques Pharisiens, qui lui dirent: «Pars et va-t'en d'ici, car Hérode veut te tuer.» Il leur dit: «Allez dire à ce renard: Voici que je chasse des démons et accomplis des guérisons aujourd'hui et demain, et le troisième jour je suis consommé! Mais aujourd'hui, demain et le jour suivant, je dois poursuivre ma route, car il ne convient pas qu'un prophète périsse hors de Jérusalem.» (13.31-33)

Vécue dans l'obéissance confiante et aimante, la mort même peut servir la cause de Dieu et de son peuple.

Le salut offert aux petits

En plein milieu de cette période sombre, marquée par le refus et l'incompréhension, il y a pourtant des étincelles d'une résurrection. Si l'Israël officiel fait la sourde oreille à l'appel de Jésus, certains membres du peuple accueillent pour leur part le salut qu'il offre. Paradoxalement, ce «reste» est constitué avant tout des marginaux de la nation, non de ses élites. Est-ce par hasard que Lc utilise le terme insolite de «fils/fille d'Abraham» pour décrire deux de ces marginaux sauvés dans une rencontre avec Jésus, la femme possédée d'un esprit d'infirmité (13.10-17) et Zachée, chef des collecteurs d'impôts (19.1-10)? N'est-ce pas pour souligner le fait que de tels «pauvres» sont bien de la lignée des patriarches et des prophètes et s'assiéront avec Abraham lors du «festin dans le Royaume de Dieu» (13.28-29; 16.22)?

Pour Lc c'est ce «petit troupeau», héritiers du Royaume (12.32), qui assure la continuité de l'Alliance entre Dieu et son peuple. A ce noyau se joindront des membres des nations païennes «du levant et du couchant, du nord et du midi» (13.29). Lc est toujours soucieux de montrer les non-juifs associés au Royaume. Dans sa version de la parabole de la graine de moutarde (13.18-19) placée dans ce contexte, Lc ne souligne pas le contraste entre la petite graine et le grand arbre comme le font Mc et Mt mais la présence des oiseaux qui viennent nicher dans les branches. Et dans la parabole du grand festin (14.15-24) Lc connaît, à la différence de Mt, deux appels successifs après le refus des premiers invités: d'abord «les pauvres, les estropiés, les aveugles et les boiteux» de la ville, ensuite les campagnards. Pour lui, le nouveau peuple sera composé à la fois des «tout petits» d'Israël et des païens.

Le critère d'appartenance à ce reste n'est pas une qualité ou un mérite humains. Au contraire, comme l'explique bien la parabole du Pharisien et du collecteur d'impôts (18.9-14), une trop grande confiance en sa propre richesse spirituelle rend impropre au Règne: seule la connaissance de ses propres limites et un regard tourné vers la miséricorde de Dieu en offre l'accès. Car le Dieu-pèlerin va toujours vers celui qui a besoin de lui. Lc insiste sur cette vérité-clé de la Bible au chapitre 15 de son évangile par trois paraboles incomparables: la brebis retrouvée, la pièce de monnaie retrouvée, et surtout l'enfant prodigue, parabole qu'on devrait plutôt appeler le père miséricordieux. En effet, au cœur de tous ces récits se trouve l'image d'un Dieu actif et généreux qui se dépense sans calcul pour «chercher et sauver ce qui était perdu» (cf. 19.10), sans souci pour sa dignité ou ses droits. Dans la dernière parabole, le père sort deux fois de sa maison, une fois pour *courir* (!) vers son fils repentant, une autre fois pour tâcher de convaincre son fils aîné, jaloux de la bonté «excessive» de son père, d'entrer et de célébrer le retour avec eux. On espère que les scribes et les Pharisiens, qui «murmuraient» (cf. Ex 16.2; CD 58 et n.9) à cause de l'accueil offert par Jésus aux «pécheurs» (15.1-2) auront bien saisi la pointe de l'histoire.

Puisque le salut n'est pas acquis par l'activité humaine, il n'est pas étonnant de voir Jésus, lorsqu'il se tourne vers ses disciples, souligner l'attitude de confiance envers Dieu bien plus que les exigences du chemin. «Soyez sans crainte», «ne vous inquiétez pas» (12.4-12.22-32): voilà le grand thème de ses discours. Cherchez d'abord le Royaume de Dieu (12.31), continuez sans vous lasser à prier le Père (11.1-13; 18.1-8) et Dieu donnera tout ce qu'il vous faut (11.8), les choses matérielles (12.29-31) mais surtout l'Esprit Saint (11.13; 12.12) ou le Royaume (12.32).

Si l'attitude de vigilance, de receptivité envers Dieu est primordiale (12.35-40), il est non moins vrai que pour Lc elle est aux antipodes de la passivité. Veiller, c'est le comportement du serviteur qui accomplit le travail que son maître lui a confié avant de partir (12.41-48; 19.11-26). Implicitement dans ces textes il y a un accent sur la durée possible ainsi que sur une venue ultérieure du maître; le serviteur peut se dire «mon maître tarde à venir» (12.45). Face à l'Israël non-converti Jésus avait insisté sur l'urgence, l'approche imminente du Règne. Pour le petit troupeau des disciples, qui goûte déjà la joie du salut (10.17), Jésus souligne par contre la persévérance confiante qui fait supporter tous les délais avant l'imprévisible Jour du Fils de l'homme (12.46; 17.22-37).

A l'approche de Jérusalem le renversement de valeurs provoqué par la visitation de Dieu devient manifeste. Deux marginaux radicalement différents, un aveugle mendiant et un chef de collecteurs d'impôts, cherchent Jésus. Le premier est rabroué pour sa présomption par «ceux qui sont en tête» (18.39), l'acceptation de l'autre par Jésus provoque le «murmure» de tous (19.7). Néanmoins tous les deux reçoivent le salut. Et dans la parabole des mines, la version de Lc ajoute l'histoire (vraie) d'un roi qui, pendant son absence, est rejeté par son peuple (19.14,27). De même, lors de l'entrée «royale» de Jésus à Jérusalem (19.29-40), Lc précise que c'est «la multitude des disciples» qui acclame Jésus et prépare sa venue, tandis que des Pharisiens cherchent à les faire taire. Ce refus de comprendre et d'accueillir explique la réaction de Jésus au terme de son pèlerinage: il pleure sur la ville qui «n'a pas su reconnaître le temps (*kairos*) de sa visitation» (19.44), la Cité-de-la-paix qui n'a pas su trouver la paix (19.42). Par son deuil Jésus anticipe prophétiquement la destruction imminente de la ville. Même si, quant aux détails, Lc se laisse influencer par le siège de Jérusalem par les Romains en l'an 70 de notre ère, l'essentiel se trouve déjà contenu dans les larmes de Jésus. En abandonnant son Dieu qui vient (cf. 19.38), Jérusalem signe son propre arrêt de mort. Qu'elle le veuille ou non, le sort da la ville et celui de Jésus sont mystérieusement liés; roi et peuple ne feront qu'un dans la souffrance et la mort (cf. 23.28-31).

Sion, ton Roi vient pour juger

La section suivante de l'évangile de Mc (ch. 11-13), le séjour à Jérusalem, marque un accomplissement qui est en même temps un nouveau point de départ. Le roi messianique «fils de David» (10.47,48) entre dans sa ville, le Seigneur entre dans son Temple pour le purifier et pour en prendre possession. Mais Israël est incapable de reconnaître la pleine signification de ce qui est en train de lui arriver. L'Oint de Dieu est autre chose et bien davantage qu'un roi terrestre, simple héritier de David (12.35-37). Le Temple est appelé à être «une maison de prière pour toutes les nations» (11.17; cf. Is 56.7). Perspectives nouvelles et en même temps enracinées dans la tradition, pour Jérusalem elles dérangent profondément les habitudes et les idées reçues. La venue de Jésus contrecarre l'éternelle tentative humaine de créer un dieu à notre mesure, elle appelle plutôt à un élargissement de l'horizon, à un éclatement des limites.

La structure de ces chapitres consiste essentiellement dans une série de controverses dans le Temple entre Jésus et les responsables de la nation. Tout dans cette section est implicitement commandé par la notion de *jugement*: «les grands prêtres, les scribes et les anciens» (11.27) pensent pouvoir juger Jésus à partir de leur compréhension de la Torah, et voilà qu'ils se trouvent jugés eux-mêmes devant un tribunal supérieur. Jugés et trouvés insuffisants, car malgré leur apparence imposante (12.38-40) ils sont réduits au silence (12.34b). Ils ne sont qu'un figuier stérile incapable d'assouvir la faim (11.12-14). Pour quelques jours les mentions de la souffrance et la mort de Jésus disparaissent, et on a l'impression paradoxale que c'est lui qui mène l'affaire et qui en sort victorieux. Après le procès, le Juge se prononce sur le sort du Temple et de «cette génération» (ch. 13): la fin d'un monde est proche.

Si en Jésus le Dieu-pèlerin fait retour dans le centre de son peuple, voire du monde entier, nous nous trouvons alors devant un tournant de l'histoire humaine. Depuis l'Exil à Babylone voici des siècles, Israël attend ardemment ce retour, s'ingénie à trouver des explications pour tous les délais successifs (cf. CD ch. VII). Dans le fait apparemment banal d'un prédicateur itinérant qui monte à Jérusalem pour la fête de la Pâque, le regard de la foi entrevoit cet accomplissement, et la description donnée par les évangélistes fait ressortir sa signification essentielle. D'abord par l'itinéraire: Jésus arrive par le Mont des Oliviers, là où selon Zacharie 14 une route royale doit apparaître miraculeusement pour la venue du «Seigneur mon Dieu..[et] tous ses saints ·avec lui» (Za 14.5b); le Seigneur y mènera un combat définitif contre tous ses ennemis (Za 14.1-5; cf. Jl 4). Et comme chez Malachie, le Seigneur envoie des messagers en avant de lui (Mc 11.1; Ml 3.1). Ces oracles nous placent dans une ambiance de jugement eschatologique: les amis de Dieu, un petit reste cruellement éprouvé, recevront leur libération, leurs ennemis seront mis en déroute.

En même temps, la façon dont Jésus arrive dans la ville montre clairement que sa royauté et son jugement s'exercera d'une bien autre manière que par la puissance et la violence humaines. En décidant d'entrer à Jérusalem monté sur un ânon, Jésus renvoie implicitement à l'un des derniers oracles messianiques chez les prophètes d'Israël (Za 9.9-10). Il s'agit d'un roi pauvre (*'ani*), pure transparence devant Dieu, qui vient proclamer la paix après que Dieu a éliminé tous les instruments de guerre de son peuple élu; son royaume de paix s'étendra ensuite à toute l'humanité (cf. CD 239-240). Et dans la personne de la foule (des disciples? cf. Lc 19.37) «la fille de Sion» (Za 9.9) exulte et se réjouit pour son roi, l'acclamant comme Celui-qui-vient et porteur du Règne-qui-vient (Mc 11.9-10). Sur ce, Jésus entre dans la ville et va tout droit au Temple. Mc précise qu'il regarde tout autour de lui comme le propriétaire qui vient prendre possession de sa maison. Chose surprenante, il n'y demeure pourtant pas mais quitte brusquement la ville: l'accomplissement est remis bien qu'il soit déjà très tard (11.11).

Le Temple, en effet, reste au centre de ces chapitres. Jésus y entre et en sort, comme pour indiquer que la visite n'est pas encore définitive, ou que le Temple à lui seul n'est pas suffisant pour renfermer le salut promis. En tout cas il doit être purifié: Jésus accomplit cette purification nécessaire (cf. Ml 3) en chassant les vendeurs du parvis du Temple. Il cite Isaïe (56.7) et Jérémie (7.11) pour justifier son acte, mais en plus c'est le dernier oracle du Second Zacharie qui se trouve accompli:

> ...et il n'y aura plus de marchand dans la maison du Seigneur Sabaot, en ce jour-là. (Za 14.2lb)

Le mot traduit par «marchand» est littéralement «Cananéen»; le culte de la nation est ainsi implicitement tenu pour idolâtrique (cf. CD 239 et n. 28). Tout en se réclamant du Dieu d'Israël, Jérusalem et ses dirigeants suivent un dieu fabriqué à leur propre image. Jésus renoue ainsi avec le vieux courant prophétique qui considère d'un œil méfiant le sanctuaire et son culte.

Une fois le Temple purifié, Jésus peut s'y promener (Mc 11.27) en enseignant. C'est alors que différents groupes — grands prêtres, scribes et anciens (11.27); Pharisiens et Hérodiens (12.13); Sadducéens (12.18) — surviennent pour le mettre à l'épreuve. Eux croient pouvoir le juger, vérifier sa connaissance de Dieu et son autorité, pourtant déjà la mise en scène indique que c'est tout le contraire qui se passe. Jésus se trouve dans le Temple et toujours ses adversaires s'approchent de lui, jamais le contraire. Ils sont implicitement dans l'attitude du suppliant qui vient à Dieu dans son sanctuaire en quête d'une parole d'autorité qui vienne par la bouche de son représentant. Mais parce que leurs cœurs ne sont pas limpides (par ex. 12.13) ils sont confondus et leurs véritables motifs démasqués: l'absence de foi (11.31; 12.27), la haine et la peur (11.18,32; 12.7,12), la complicité avec les puissances étrangères (12.13-17). La nation en ce moment est un arbre sans fruit (11.12-14), une vigne qui doit être confiée à d'autres intendants (12.9). Bien entendu, il reste en Israël des amis de Dieu, surtout parmi les pauvres (12.41-44). Mais pas exclusivement: nous rencontrons notamment un maître de la Torah capable de comprendre Jésus et de juger sa voie plus essentielle que le culte du Temple (12.32-34). De tels êtres sont des signes de la continuité du dessein de Dieu dans un temps où priment le refus et la rupture.

C'est cela la justification profonde de la mise en place du chapitre 13 dans l'œuvre de Mc. Brusquement, le déroulement de la carrière de Jésus s'interrompt en faveur d'un long discours sur la fin, basé dans son ensemble sur des catégories et des images apocalyptiques du judaïsme. Ces catégories et images ont été forgées en Israël à partir de l'Exil, pour exprimer la confiance en Dieu et ses promesses lorsque humainement parlant nulle issue ne semble plus possible. Elles deviennent un langage pour dire en même temps et la certitude de la foi et l'étendue de la puissance du mal dans le monde. L'accomplissement arrivera malgré tout mais non sans un combat, nécessaire pour que «cette génération» disparaisse (cf. 13.30).

Jésus emprunte ce langage quelque peu redoutable pour expliciter le jugement divin sur le rejet de sa personne par la nation officielle, symbolisée par le Temple. Aussi ses paroles donnent-elles une clef pour interpréter les événements qu'il est en train de vivre. En des termes plus accessibles pour nous sa pensée se traduirait peut-être ainsi: ceux qui rejettent celui qui est néanmoins la réponse de Dieu à toutes leurs attentes s'attachent par là à un monde voué à la disparition, un monde sans espérance véritable; mais vous qui m'accueillez, n'ayez pas peur; restez-moi fidèles au milieu des convulsions d'une civilisation qui s'en va bâtie sur le sable; ne cherchez pas à savoir quand arrivera le jour de votre salut définitif mais restez en éveil à tout moment, centrés sur l'unique essentiel. Après la rencontre définitive entre l'Oint de Dieu et son peuple, et avant le dénouement tragique à travers les événements de la Passion, les synoptiques nous présentent ainsi une interprétation en catégories juives de la signification de ce qui se passe, signification «transhistorique» et donc valable pour toute la période qui va suivre.

Dans la partie analogue de son évangile, Lc suit de près la trame de Mc. Il élimine le récit du figuier, car il a déjà assez mis en évidence le jugement de Jérusalem. Et dans le discours echatologique de Jésus, Lc, toujours soucieux des étapes de l'histoire du salut, distingue plus clairement la destruction de la ville de Jérusalem d'une part et les signes de la venue du Fils de l'homme de l'autre. Celle-là introduit le «temps des nations» (Lc 21.24) et se déroule à l'intérieur d'une histoire qui se poursuit. Le jour du Fils de l'homme, jour de délivrance pour les disciples, est d'un autre ordre: tout ce qu'on peut faire c'est de «veiller et prier» (21.36) pour ne pas s'installer (21.34), afin d'être prêt à accueillir la délivrance (21.28).

Mt pour sa part rend le discours plus eschatologique. Les disciples demandent, non pas quand «tout cela» arrivera et finira (Mc 13.4) mais «les signes de ton avènement (*parousie*) et la fin de l'âge» (Mt 24.3). Encore une fois, là où Lc précise les étapes, Mt donne une présentation synchronique qui en fait ressortir la signification permanente pour le croyant. De même, immédiatement avant ce discours il reproduit une longue invective contre «les scribes et les Pharisiens hypocrites» (ch. 23). Or, chez Mc les Pharisiens étaient les adversaires principaux de Jésus surtout dans la première période de son ministère, en Galilée: dans la capitale, leur influence semble avoir été moindre. Les dirigeants de la nation appartenaient en général au parti des Sadducéens. Lc élimine toute mention des Pharisiens pendant le séjour à Jérusalem, tandis que Mt multiplie les références. Par là il vise peut-être les adversaires des communautés chrétiennes au moment où il écrit, une quarantaine d'années plus tard. En effet, après la destruction de Jérusalem et du Temple, le mouvement des Pharisiens représentait à lui seul le judaïsme officiel. Pour Mt, en tout cas, les «Pharisiens» sont devenus un type: ils représentent les adversaires juifs de Jésus et des chrétiens beaucoup plus qu'un groupement historique bien défini.

75

Dans ces chapitres Mt intègre d'autres récits, notamment des paraboles, sur le réfus par Israël de son salut et sur l'accueil que lui font les pauvres et les pécheurs: «En vérité je vous le dis, les publicains et les prostituées arrivent avant vous au Royaume de Dieu» (21.31b). Le premier évangile nous montre Jésus dans le Temple acclamé par des enfants (cf. Ps 8.3) en train de guérir «des aveugles et des boiteux» (21.14-15). Ces malheureux s'avancent vers lui, bien que traditionnellement ils n'étaient pas admis dans le lieu saint (Lv 21.18; 2 S 5.8); il est clair alors qu'une ère nouvelle commence à poindre (cf. Ml 3.20). Le salut est un don gratuit, et néanmoins Mt rappelle que la vie du disciple comporte des exigences: à eux de se revêtir du vêtement de noces (22.11-13), de prendre assez d'huile dans leurs lampes (25.1-13), de faire fructifier les talents accordés (25.14-30) sous peine de s'exclure du festin dans le Royaume (cf. 8.11).

Mt termine cette partie de son évangile par le grand tableau du dernier jugement (25.31-46). Ici l'évangéliste emprunte un langage prophétique pour expliciter le sens ultime de l'évangile, un peu ce que le discours précédent (ch. 24) avait fait à partir des images apocalyptiques. Pour Mt Jésus est déjà celui par lequel un tri fondamental s'opère entre les hommes en fonction de leur attitude envers lui (cf. 10.32-34; 11.23-24). Ici cette vérité est projetée dans un avenir absolu, lorsque le Fils de l'homme vient «dans sa gloire» pour siéger sur son trône et juger. Cependant, ce jugement ultime ne fait que ratifier un jugement qui a déjà eu lieu à l'intérieur de l'histoire.

Deux choses sont à noter concernant ce tableau matthéen du jugement. En premier lieu, il n'est plus question de la relation entre le peuple élu et les autres nations, encore moins d'une priorité accordée à celui-là. Toutes les nations, sans mention d'Israël, sont convoquées et triées. Dans la tradition prophétique, on connaît un dernier combat des nations contre Israël, dont celui-ci sort victorieux (Ez 38-39; Za 14). On connaît également un tri à l'intérieur de la nation sainte, par lequel les «justes» sont separés des «impies». Mais ici le rôle d'Israël semble être éliminé, ou plutôt comme absorbé dans le personnage du «Fils de l'homme escorté de tous les anges» (25.31; cf. Dt 33.2-3; Za 14.5). Le «reste saint» du peuple est ici assimilé au juge plutôt qu'aux inculpés (cf. Mt 19.28).

Deuxièmement, le critère définitif du jugement réside dans l'attitude manifestée envers «ces plus petits qui sont mes frères»: l'affamé, l'assoiffé, le miséreux, l'exploité occupent la place qui fut celle de Jésus durant sa vie terrestre et que le Fils de l'homme assumera lui-même à la fin des temps. Jésus se reconnaît dans les plus pauvres, il reconnaît comme siens ceux qui les secourent. Les deux catégories coïncident dans la figure biblique du Serviteur de Dieu élaborée par le Second Isaïe (cf. Mt 12.15-21), un être qui finit par prendre l'aspect du dernier des derniers, mais cela en vue de guérir les blessures des hommes (Is 52-53). Pour Mt, en fin de compte, l'histoire humaine est traversée et commandée par cette notion du Serviteur de Dieu. Le Fils de l'homme représente la révélation «glorieuse» par Dieu de ce qu'a été le Serviteur de façon cachée (cf. CD 242-243). La vie terrestre de Jésus est déjà une révélation partielle, dans la foi, de ce qui, «un jour», sera connu de tous[5].

Déjouer le mal

Les évangélistes synoptiques, nous l'avons vu, décrivent la montée de Jésus à Jérusalem pour la fête de la Pâque comme celle d'un roi qui prend possession de sa ville, voire d'une visitation définitive et victorieuse de Dieu pour rétablir la justice, pour remettre les choses en ordre. Ils savent, bien entendu, que Jésus répond à l'aspiration de son peuple récapitulée dans les Ecritures tout en la transformant; en sa personne tous les fragments légués par la tradition se fondent en une unité nouvelle, au-delà de toute attente[6]. La fin ne peut jamais être prédite à partir des lignes qui conduisent vers elle. En plus, les auteurs inspirés savent que leur vision est illuminée par la foi: ils écrivent rétrospectivement, dans la lumière de la Résurrection et de la Pentecôte, en en dehors de cette lumière les choses apparaissent d'une bien autre manière. Aussi ne sommes-nous pas seulement mis devant un manque de correspondance exacte entre l'existence concrète de Jésus et les descriptions prophétiques de l'avenir transmises par les Ecritures. Il y a, plus profondément, un décalage entre cette existence et sa signification véritable. Ce décalage demeure parce que la venue de Jésus comme héraut du

Règne n'abolit pas la foi mais au contraire la rend plus indispensable encore. S'il y a «révélation des choses cachées» (Mt 13.35) par la vie et la mort de Jésus, ce n'est nullement pour éliminer la nécessité d'un acte de confiance, d'un choix fondamental. Au contraire, la révélation fait apparaître cette confiance et ce choix comme essentiels et devient pleinement compréhensible en fonction d'eux seulement. En d'autres termes, la révélation évangélique est par sa nature créatrice de communion: nulle compréhension définitive n'en est possible de l'extérieur.

Tout cela doit être rappelé avant d'aborder la dernière étape du chemin de Jésus pendant sa vie terrestre, la route vers le Golgotha, vers une mort douloureuse et consentie. Ici, la disparité entre les faits et leur signification à la lumière de la foi devient à peu près totale. Celui qui a été implicitement décrit comme un roi dans son cortège triomphal est en fait, vu de l'extérieur, un criminel amené par ses bourreaux vers le lieu de son supplice, vers une mort honteuse, une mort d'esclave.

C'est pour cette raison que dans le récit de la passion de Jésus une place si importante est accordée à l'*ironie*. Par sa nature, l'ironie exploite le contraste entre la vraie signification d'un événement et son apparence extérieure. Elle joue sur l'incongruité, sur les différents horizons des uns et des autres. A la fin de la vie terrestre de Jésus, cette ironie est la seule façon de tenir compte de tous les niveaux. Elle permet d'accorder les revendications de Jésus, le déroulement de sa vie vu de l'extérieur, la réaction des ses adversaires face au décalage entre les deux, et enfin, la situation véritable dans la lumière de la résurrection. C'est donc une ironie à plusieurs niveaux, par moments presque insoutenable.

Mais avant que tout se résolve en cette ironie finale, à la manière d'un complexe accord musical où même les apparentes dissonances sont tenues en relation, en une tension créatrice, il y a une dernière période préalable. D'emblée tout est mis sous la rubrique de la fête de Pâque qui s'approche. Fête la plus importante de l'année, la Pâque rappelle la libération de l'esclavage en Egypte par le «passage» de l'Ange de Dieu et les débuts de l'exode vers la Terre promise; elle va être de même l'heure de la «passion» de Jésus et de son «passage» définitif vers son Père.

Mc et Mt commencent cette dernière période par le récit d'une femme qui verse du parfum sur la tête de Jésus (Mc 14.3-9; Mt 26.6-13). Pour Lc une histoire semblable avait servi de leçon sur le pardon et l'amour (Lc 7.36-50); ici c'est un geste prophétique: «d'avance elle a parfumé mon corps pour l'ensevelissement» (Mc 14.8b). Ce geste est encadré par la concertation des notables sur la manière de tuer Jésus (14.1-2) et par la décision de Judas, «l'un des Douze», de leur livrer son maître (14.10-11). Ces attitudes contrastées font ressortir encore davantage le geste de la femme et lui donne toute sa portée «ironique».

Un deuxième volet concerne les préparatifs du repas pascal. Ici encore, Jésus apparaît clairement comme celui qui prend l'initiative, qui dirige les activités. Il fait trouver dans la ville une «chambre haute, vaste, garnie, toute prête» (14.15) qu'il appelle «ma salle» (14.14). Même si Jérusalem dans son ensemble ne se révèle pas fidèle à son Dieu, il existe toutefois au cœur de la capitale un lieu qui accueille le Messie, où un culte authentique peut être rendu à Dieu. Rien d'étonnant alors que, pour Lc, la chambre haute soit le point de départ de la communauté chrétienne après l'ascension de Jésus (Ac 1.13). C'est là que Jésus va célébrer un dernier repas avec ses disciples, un moyen liturgique de leur expliquer le sens de ce qui va arriver et de leur permettre de le revivre par la suite[7].

Tout comme l'onction de la femme, cet autre geste symbolique de Jésus forme un net contraste avec le contexte. Il est encadré par des annonces de trahison. Judas va livrer son maître pour de l'argent, Pierre va le renier, et tous les disciples vont l'abandonner. On touche du doigt ici les conséquences extrêmes de la réalité du mal, la destruction de la confiance et de l'amour, en un mot, la dispersion (cf. Mc 14.27). Tout n'est pas pour autant sur le même plan: Pierre et les autres disciples abandonnent leur maître par peur, tandis que Judas fait usage de lui pour ses propres fins. Cette habileté de tirer profit de la vulnérabilité de l'amour fait qu'on voit presque en Judas une personnification du mal (cf. Lc 22.3). Et pourtant, face à cette évocation du mal absolu, et sans en minimiser l'horreur (Mc 14.21), le geste de Jésus offre l'unique issue possible:

> Et tandis qu'ils mangeaient, il prit du pain, le bénit, le rompit et le leur *donna* en disant: Prenez, ceci est mon corps. Puis, prenant une coupe, il rendit grâces et la leur *donna*, et ils en burent tous. Et il leur dit: Ceci est mon sang, le sang de l'Alliance, qui va être répandu pour une multitude. (14.22-24)

Par sa décision, pleinement libre, de se donner, Jésus fait la seule chose capable de transformer le règne des ténèbres en la victoire de l'amour. Il enlève l'initiative des mains de Judas et des grands prêtres non par un refus, en fuyant ou en combattant contre eux, mais par un oui à son Père et à sa volonté d'amour. En acceptant d'aller jusqu'à mourir par amour, le sens de cette mort se trouve radicalement changé: la «passion» n'est plus passive, elle est l'activité triomphale de l'amour, le jaillissement de la vie. Sans le geste de la dernière Cène, nous ignorerions le sens véritable de l'agonie de Jésus. Nous ne saurions pas qu'elle est un chemin de vie, une victoire paradoxale sur la mort par l'intérieur.

Pour que ce oui de Jésus puisse être ainsi une victoire, il doit être non pas un acquiescement aux vues de ses ennemis mais un oui à quelque chose d'un tout autre ordre. Autrement dit, Jésus ne peut consentir à un meurtre, même (ou surtout) de lui-même, mais uniquement au dessein d'amour de son Père. Avant de dire son oui, il doit discerner en ces événements le chemin de Dieu pour lui et pour le monde. Il doit y reconnaître non pas un destin aveugle ou maléfique mais le visage du Père. De cela, nous avons déjà vu des traces dans l'évangile, sans qu'il soit toujours possible de savoir si elles remontent à Jésus lui-même ou si elles expriment une certitude de l'évangéliste éclairé par la lumière de Pâques. C'est le cas, par exemple, lors des prédictions de la passion, du «il faut», expression de la volonté divine (par ex. Mc 8.31 par; Lc 13.33), et des paroles comme celles de Mc 10.45: «Le Fils de l'homme lui-même n'est pas venu pour être servi, mais pour servir et donner sa vie en rançon pour une multitude».

Le oui dit au Père et non au mal ressort également des paroles qui accompagnent l'acte de donner le pain et la coupe: «Ceci est mon corps (donné) pour vous (Paul, Luc)...ceci est mon sang de l'alliance, versé pour la multitude (Marc, Matthieu).» Au cœur de ce réseau d'allusions scripturaires, trop dense pour qu'on puisse en dégager tous les éléments ou distinguer ce qui est explicite de ce qui ne l'est pas, une chose peut être dite avec certitude: être la victime pascale (Ex 12), le sacrifice de l'Alliance (nouvelle) (Ex 24; Jr 31), le Serviteur de Dieu (Is 53), nul ne peut se l'attribuer, cela ne peut être que réponse à une vocation divine.

Les évangiles nous donnent une dernière indication du fait que l'apparente obéissance à la volonté destructrice des hommes malveillants est en fait réponse confiante au Père, dans les différentes significations du mot «livrer», si abondant dans ces chapitres[8]. La plupart du temps il s'agit de l'acte de Judas, la trahison de son maître par cupidité (Mc 14.10,11,18,21,42,44). Le mot est aussi utilisé pour décrire les étapes du procès de Jésus, livré à Pilate par les grands prêtres (15.1,10) et livré par Pilate pour être crucifié (15.15). Ces emplois du mot «livrer» sont normaux dans la langue profane. Mais en 14.41, nous avons vraisemblablement affaire à une autre signification du mot, facile à méconnaître à cause du contexte où Judas est tellement mis en évidence: «L'heure est venue: voici que le Fils de l'homme va être livré aux mains des pécheurs.» Ce verset renvoie aux annonces de la passion (9.31a; 10.33), et là il s'agit d'un passif qui exprime l'activité de Dieu (cf. aussi Rm 8.32; 4.25). C'est un usage religieux du mot: dans les Ecritures hébraïques, quand Dieu livre le malfaiteur aux mains de ses ennemis, c'est pour lui faire goûter les conséquences de son péché (par ex. Jg 2.14; Ez 11.9; cf. Rm 1.24,26,28). En Is 53.6 dans la traduction grecque, par contre, le Serviteur de Dieu est livré non pas à cause de ses fautes, mais pour prendre sur lui les conséquences du péché des autres. Ainsi, dans l'usage marcien du verbe «livrer», nous pouvons percevoir, derrière la malice des hommes, la volonté salvifique du Père, et donc la possibilité de faire de la souffrance et de la mort un chemin de vie pour tous[9].

Ce oui confiant et aimant, la signification la plus profonde du chemin de Jésus vers la croix, a donc été préparé et médité longtemps à l'avance. Il est vécu d'une manière explicite par Jésus juste avant son arrestation, dans le lieu dit Gethsémani (Mc 14.32-42). Là, Jésus expérimente toute la puissance du mal, notamment l'isolement qu'il entraîne, et cela imprime sur son âme une tristesse mortelle. Nous assistons à son combat intérieur dans un dialogue avec Dieu: le désir bien compréhensible d'échapper à l'heure redoutable, de ne pas devoir boire la coupe amère[10], et à un niveau plus profond, la confiance en son «Abba», son Père bien-aimé, et donc la libre acceptation de sa volonté. Ici nous sommes aux antipodes d'un quelconque fatalisme, d'un consentement extorqué «faute de mieux». C'est précisément le contraire qui se passe: la confiance de Jésus donne la certitude que son Père veut ce qui est le mieux pour lui et pour tous, même si sa tendresse prévenante reste provisoirement voilée par les affres du mal. Par sa confiance, Jésus peut reconnaître même dans cette heure des ténèbres le visage infiniment bon du Père, et alors pour lui cette heure qui est venue (14.41), l'heure où il est livré, peut être aussi l'heure du Royaume, l'heure du Fils de l'homme[11]. Par son oui la brèche définitive a été ouverte, le chemin de lumière tracé, il ne reste maintenant qu'à le parcourir.

Dieu au passif

Les récits suivants, sur l'arrestation, la condamnation et l'exécution de Jésus, racontent le déroulement de ce chemin paradoxal, où mort et vie s'affrontent et s'enchevêtrent. Humainement parlant, c'est presque uniquement une histoire de la mort du «Fils de l'homme [qui] s'en va» (Mc 14.21; Mt 26.24)[12]. Cela est souligné jusque sur le plan de la syntaxe: tandis qu'auparavant Jésus était, dans un très grand nombre de phrases, le sujet de verbes actifs, de mouvement (il vint, il arriva, il déclara…), dorénavant nous voyons appliqués à lui exclusivement des constructions passives: ils se saisirent de lui, l'emmenèrent, le firent entrer, lui demandaient, le conduisent, le lièrent, l'accusent, (Pilate) le renvoya, (Hérode) l'interrogea, le traita avec mépris, se moqua de lui, le revêtit, (Pilate) le livra à leur volonté, ils l'emmenaient, le frappent, crachaient sur lui, le font sortir, le crucifièrent, se moquèrent de lui, l'injuraient. Jésus devient passif, un objet ou jouet qu'«ils» (pluriel typique d'une absence du courage moral se réfugiant dans l'anonymat; cf. un certain usage en français de «on») peuvent traiter à leur guise. L'apparence de passivité est augmentée par le *silence* de Jésus (Mc 14.61; 15.5), à part quelques paroles mystérieuses ou même ambiguës. Le procès officiel vient trop tard. L'heure n'est plus aux explications mais au Serviteur de Dieu, au juste persécuté qui silencieusement (Is 53.7; Ps 39.10) supporte la moquerie, sûr qu'il sera enfin justifié par son Dieu (cf. Mc 14.62 par).

Il est intéressant que ce qu'on retient surtout comme motif de condamnation contre Jésus lors de son procès est son attitude envers le Temple: dans la religion biblique, la critique du Temple et l'éternelle tendance humaine de vouloir enfermer Dieu dans les limites de notre compréhension a toujours été un thème de la contestation prophétique (cf. Jr 7; Is 66.1-4), mais ici on fait un pas de plus, on fait grief à Jésus surtout d'avoir promis un sanctuaire reconstruit, un nouveau lieu de rencontre entre l'homme et Dieu (Mc 14.58).

Alors que Jésus se laisse conduire, ses adversaires font preuve d'une activité effrenée. Tous se mettent d'accord contre lui, même Pilate et Hérode; Jésus sert de trait d'union entre ces grands ennemis (Lc 23.12). Néanmoins, les responsables ne réussissent pas à mener leur affaire à terme: ils ne trouvent pas de témoignages valables contre lui (Mc 14.55-59), et Pilate est sur le point de le relâcher (Lc 23.13-16). Dans ce contexte l'ironie joue son rôle: les adversaires de Jésus ne disposent pas d'une vision suffisamment ample pour avoir le dernier mot, parce qu'un tel regard ne saurait être que celui de Dieu. Ainsi ils se moquent de Jésus et de ses prétentions royales, le couronnant d'épines (Mc 15.16-20), mais ce couronnement a une portée qui va bien au-delà de leurs intentions conscientes, car Jésus est en vérité le roi humble qui s'identifie avec les derniers (cf. Za 9.9-10). D'une part, les adversaires de Jésus se couvrent de ridicule et sont révélés comme blasphémateurs, et d'autre part, leurs activités servent la réalisation du dessein de Dieu qu'ils ignorent. L'inscription en trois langues que Pilate affiche à la croix pour irriter les juifs mais qui en fait proclame la royauté universelle de Jésus est un autre exemple du même ordre (Jn 19.19-22). Comme dit le proverbe: rira bien qui rira le dernier.

Au moment de la passion de Jésus, cet horizon ultime, celui de Dieu, qui révèle la pleine signification des événements, n'est pas encore accessible. Personne n'est en mesure de comprendre l'ironie, ni de faire une lecture «correcte» des Ecritures qui apporterait toute la lumière nécessaire. Jésus est une pure victime, absolument seul et démuni face à l'immensité du mal dans l'univers. Ses disciples ont été dispersés par le choc de l'arrestation (Mc 14.50). Pierre, s'il le suit de loin, n'a même pas la force d'avouer sa relation avec lui. Les dernières paroles de Jésus (en Mc et Mt) sont un apparent cri d'abandon (Mc 15.34; Mt 27.46), et même si elles sont en fait tirées d'un psaume de confiance, rien ne permet de conclure que cette confiance est justifiée. Car Elie ne vient pas pour inaugurer glorieusement le Règne de Dieu, le Messie ne descend pas de sa croix, et Jésus meurt en poussant un grand cri (Mc 15.35-37). Peut-on vraiment croire que Dieu aurait laissé mourir dans l'ignominie son Oint, son Fils bien-aimé?

Au risque de falsifier complètement le message chrétien, la contemplation du chemin de la croix doit accorder tout son poids à cette dimension d'échec apparent. A vouloir la gommer ou la minimiser, nous faisons de l'Evangile une utopie, un optimisme humain, nous enlevons le sérieux du mal, son caractère irréductible, et par là nous versons dans l'irréalisme. Certes, la foi nous donne la certitude que la mort n'a pas le dernier mot, d'où notre tendance à vouloir sauter tout de suite sur l'autre rive de la résurrection pour réduire l'impact du mal.

Une consolation à trop bon marché, hélas, ne fait point l'affaire. Combien d'hommes et de femmes ont été détournés de la foi par des paroles de consolation bien intentionnées qui sonnaient à leurs oreilles comme une explication de l'inexplicable, la dernière chose dont ils avaient besoin dans leur heure de ténèbres. Car le mal, comme le savent bien ceux qui le subissent vraiment, ne s'explique pas, il ne peut jamais être une sorte d'antithèse hégelienne introduite à dessein pour arriver à une synthèse finale. Le Dieu de la Bible n'explique jamais le mal, encore moins le justifie-t-il ou l'excuse-t-il. Il fait bien autre chose, il pardonne, c'est-à-dire qu'il en assume les conséquences jusqu'à l'extrême et répond par l'amour.

Cette action de Dieu révélée dans la croix de Jésus permet de parler d'une «transformation» du mal en bien, ou même d'une «heureuse faute»[13]. Encore faut-il savoir que de telles expressions sont des images approximatives, des raccourcis pour indiquer le fruit de tout le chemin pascal de Jésus. Elles supposent un passage par la mort, l'extrême du mal, et ne sont vraies, à strictement parler, que «de l'autre côté» de la mort, en Dieu. Appliquées sans discernement à une situation humaine «de ce côté-ci», elles peuvent servir comme un mythe, ou même un mensonge, qui empêche de discerner et de suivre le véritable chemin de Jésus. En aucun cas elles ne sauront mener à la conclusion que le mal peut se justifier ou être acceptable au regard de Dieu.

Le récit évangélique de la passion procède d'une bien autre manière. L'horreur du supplice de Jésus n'est pas adoucie, encore moins les motifs et les attitudes des autres participants dans la tragédie. Le récit est sobre, exact, «objectif». Seulement, au cœur de cette horreur et avec une délicatesse infinie, l'auteur inspiré laisse percer quelques lueurs visibles à ceux seuls qui ont le regard affiné par Dieu pour cela. Il le fait d'abord par des allusions scripturaires, façon classique d'indiquer une conformité avec le dessein de Dieu: si Jésus est en fait le Juste persécuté des Psaumes et du Livre de la Sagesse (ch. 2-3), le Serviteur du Second Isaïe (52.13 - 53.12), le Transpercé du Second Zacharie (12.10 - 13.1), alors nous sommes en présence de bien autre chose que d'un échec humain. De plus, l'évangéliste souligne des détails qui n'ont pas beaucoup d'importance en eux-mêmes mais qui prennent une signification accusée en fonction de ce qui va suivre; on éprouve quelque chose d'analogue lorsqu'on relit un bon roman policier pour la deuxième fois. Ainsi, par exemple, les événements racontés au moment de la mort de Jésus: la déchirure du rideau devant le Sanctuaire annonce la fin de l'ordre ancien et l'accessibilité du salut à tous, les paroles du centurion romain deviennent une confession de la vraie identité de Jésus, et la présence des femmes marque une continuité prometteuse d'avenir: en fait la dispersion n'a pas été totale. La résurrection n'abolit pas la mort et sa puissance «de ce côté», mais elle la place dans un contexte plus englobant, un ultime horizon qui transforme sa signification. L'expression symbolique la plus claire en est donnée par les plaies encore bien visibles sur le Christ de gloire: non seulement bien visibles, elles servent même à démontrer son identité (Lc 24.39; Jn 20.27). C'est tout autre chose qu'une sorte de magie qui éliminerait la nécessité d'un passage étroit. Le passage est toujours là, mais dès lors nous l'envisageons munis d'un autre regard, avec le soutien d'une présence.

Le récit de la passion et la mort de Jésus se termine par son ensevelissement. Au centre, le tombeau, veillé par les femmes. D'un côté la passivité de Jésus est maintenant totale, il n'est qu'un «corps», voire un «cadavre» (Mc 15.45) entièrement à la merci des autres, gisant dans l'immobilité du tombeau, lieu du «souvenir», axé vers le passé. D'autre part une forte impression de calme se dégage du récit — le tombeau comme lieu de repos, de réconfort, après l'agonie de la journée. C'est le soir, commencement du Sabbat, jour où tout se repose et se refait en Dieu. L'attitude contemplative des femmes renforce ces deux dimensions: elles ne font rien d'apparemment utile, mais leur présence accueillante et disponible va permettre l'enfantement d'un monde nouveau.

A la fin de son évangile, Mc maintient l'ambiguïté qui a plané sur le chemin de Jésus depuis sa montée vers Jérusalem. La découverte par les femmes du tombeau vide et l'annonce de la résurrection ne suscitent en elles que de la peur et le désir de fuir (16.1-8). Sommes-nous les témoins d'un chemin vers la mort ou vers la vie? Pour l'observateur non averti, celui qui regarde depuis l'extérieur, nulle réponse définitive ne s'impose. C'est que l'évangile n'est pas un univers clos, mythique, où à la fin toutes les contradictions sont résolues. Il s'agit bien plutôt de l'histoire du salut, et cette histoire reste ouverte. Elle se poursuit à travers les siècles jusque dans le cœur de chaque destinataire du message. Dire que le Christ est ressuscité, c'est dire aussi que son chemin croise le nôtre et provoque une décision. L'évangile écrit n'est qu'un «commencement» (Mc 1.1), il reste forcément — et intentionellement — incomplet (cf. Jn 20.30-31; 21.25).

POUR LA RÉFLEXION

1. Dès que Jésus est reconnu comme Messie par ses disciples, il leur révèle qu'il devra suivre le chemin de la souffrance et d'une mort violente, le chemin de la croix (Mc 8.27-31). Pourquoi fait-il ce rapprochement? Puis il poursuit: «Si quelqu'un veut venir à ma suite, qu'il se renie lui-même, qu'il se charge de sa croix et qu'il me suive. Qui veut en effet sauver sa vie la perdra, mais qui perdra sa vie à cause de moi et de l'Evangile la sauvera» (Mc 8.34-35). Que signifient ces paroles? Comment les vivre dans notre existence quotidienne?

2. Chez Lc, la longue montée de Jésus à Jérusalem (Lc 9-19) est présentée comme une dernière offre du salut que Dieu fait à son peuple. Cette offre n'est pas acceptée par la nation en son ensemble, mais par un «reste» formé d'humbles et de petits. Par quels signes «prophétiques» Dieu est-il en train d'offrir le salut à notre monde d'aujourd'hui?

3. Quelle est la signification théologique, selon les évangélistes, de la venue de Jésus à la ville sainte de Jérusalem et dans le Temple? Comment nous font-ils comprendre cette signification?

4. En Mc 13 Jésus explique, dans un langage qui nous est presque inaccessible, le sens véritable, ultime, de sa venue dans le monde. La rencontre entre l'Oint de Dieu et son peuple provoque des divisions, la destruction d'un monde ancien et même la persécution. Comment cela s'est-il passé lors de la vie terrestre de Jésus? Pourquoi? Cet état de choses se poursuit-il dans l'histoire qui va jusqu'à nos jours? Quelle doit être notre attitude face à cette situation? Que signifie pour nous l'injonction de «veiller» (Mc 13.33-37)?

5. En instituant l'Eucharistie lors de la dernière cène, Jésus révèle le sens profond de sa vie et de sa mort. Quelle est la portée du fait que, chez Mc et Mt, l'institution elle-même se trouve encadrée par l'annonce de la trahison de Judas et par la prédiction du reniement de Pierre (Mc 14.17-31; Mt 26.20-35)? Du fait que, chez Lc, elle précède une discussion sur ce que veut dire «être grand» (Lc 22.14-27)?

6. La passion et la mort de Jésus, victoire apparente des forces de mal, est aux yeux de la foi la victoire de l'amour. Comment les évangélistes confirment-ils cette affirmation par leur façon de raconter ces événements?

1. Voir Helmuth L. EGELKRAUT, *Jesus' Mission to Jerusalem: A redaction critical study of the Travel Narrative in the Gospel of Luke, Lk 9:51 - 19.48*, Peter Lang Frankfurt/M; Herbert Lang Bern, 1976; Wm. C. ROBINSON, Jr., *The Way of the Lord: A Study of History & Eschatology in the Gospel of Luke*, A doctoral dissertation submitted to the Theological Faculty of the University of Basle, 1960.

2. Cf. EGELKRAUT, p. 76-80.

3. EGELKRAUT, p. 11-12; Gerhard SCHNEIDER, *Das Evangelium nach Lukas Kapitel 1-10*, Güterslohen Taschenbucher Siebenstern, 1977, p. 227.

4. A cause de la mention de la Samarie en 9.52 et le chiffre 72 qui peut indiquer la totalité des nations païennes, certains ont voulu voir ici une préfiguration de la mission post-pascale aux païens. Voir Augustin GEORGE, «La construction du troisième évangile,» *Etudes sur l'œuvre de Luc* (Coll. Sources bibliques), Gabalda, 1978, p. 24-25. Il semble néanmoins que Lc a surtout en vue les villes d'Israël, l'intention de Jésus est de leur offrir une dernière chance de se convertir avant l'entrée définitive du Roi dans sa Ville. Pour Lc les étapes du salut sont essentielles, le «temps des païens» (21.24) ne peut venir qu'après l'offre du salut à Israël et son rejet (cf. Ac 13.46).

5. Cf. Xabier PIKAZA, «La estructura de Mt et su influencia en 25,31-46,» *Salmanticensis*, Vol. XXI, Fasc. 1 (Enero-Abril 1983), p. 11-40.

6. Cf. Hans URS VON BALTHASAR, *Pâques le mystère* (Coll. Traditions chrétiennes), Cerf, 1981, p.219: «Ce qui est décisif...[c'est] que les *graphai*, l'AT tout entier, ait été amené à déboucher dans une synthèse transcendante qui ne pouvait être construite à partir de lui.» Voir aussi p. 191.

7. Pour le lien entre l'Eucharistie et notre sujet, voir François-Xavier DURRWELL, *L'Eucharistie sacrament pascal*, Cerf, 1980; François BOURDEAU, *L'Eucharistie Pâque du pèlerin* (Coll. Dossiers libres), Cerf, 1981.

8. L'étude définitive sur cette question est celle de Wiard POPKES, *Christus Traditus: Eine Untersuchung zum Begriff der Dahingabe im NT* (Abhandlungen zur Theologie des A. und NTs, 49), Zwingli Verlag Zürich/Stuttgart, 1967.

9. Il existe un parallèle biblique qui fait comprendre comment l'acte de livrer un être cher peut être un signe de foi (fidélité, confiance) et d'amour: le récit du sacrifice d'Isaac en Gn 22. Le mot «livrer» n'y figure pas, mais dans ce geste d'Abraham qui n'a pas refusé à Dieu son fils unique (Gn 22.12,16) les écrivains du NT ont vu une claire analogie (Hb 11.17-19: «un symbole, *parabolé* ») avec l'acte de Dieu livrant par amour pour nous ce qu'il avait de plus précieux, son Fils unique (Rm 8.32; Jn 3.16; 1 Jn 4.9).
Dans les confessions de foi primitives nous rencontrons une autre formule, «le Christ s'est livré» (par ex. Ga 2.20; Ep 5.2; cf. Jn 10.15-18), qui pourrait représenter un stade ultérieur

de la réflexion théologique. Cf. POPKES, p. 240-257.

10. Pour toute cette question, qui est comme résumée dans le symbole mystérieux et ambivalent de la *coupe*, voir le beau livre de Jean-Miguel GARRIGUES, *Dieu sans idée du mal*, Editions Criterion, 1982, surtout p. 123-153.

11. Est-ce par hasard que Mc emploie exactement le même verbe, «s'approcher» au parfait, pour décrire l'annonce du Règne en 1.15 («le Règne de Dieu est tout proche») et l'arrivée de Judas pour le livrer à la mort en 14.42 («celui-qui-me-livre est tout proche»)?

12. Aux yeux des deux évangélistes, ce départ n'est pas uniquement une disparition, car peu après ils rapportent la parole de Jésus, «Après ma résurrection, je vous précéderai en Galilée» (Mc 14.28; Mt 26.32). Le «s'en aller» (*hyp-agein*) est donc également un «aller en avant» (*pro-agein*). Lc, lui, remplace le mot «*hypagein*» par «*poreuomai*» («faire route»), soulignant mieux par là l'unité entre les deux aspects du chemin (Lc 22.22; cf. 4.30). C'est une des «petites touches johanniques» repérables dans l'évangile de Lc.

13. Cf. GARRIGUES, p. 79ss.

IV

Jean :
Venue dans le monde,
chemin vers le Père

Passer des évangiles synoptiques à saint Jean, c'est quitter la traversée progressive de la plaine pour le regard empyrée, pour le vol d'aigle. Les autres évangiles sont construits essentiellement à partir de courts récits et paroles de Jésus, agencés comme des grains sur un collier par chaque évangéliste pour en faire un ensemble cohérent. Jn, lui, ressemble davantage à une «tunique sans couture» (cf. Jn 19.23), à une composition musicale où des thèmes surgissent et disparaissent pour réapparaître plus tard, transposés. Les générations précédentes ont parfois cherché à expliquer ce caractère particulier du quatrième évangile par la distinction entre spirituel et historique ou entre catégories de pensée grecque et sémitique. Aujourd'hui nous reconnaissons que ces oppositions ne nous offrent pas la clef de l'originalité de Jn. Jn ne néglige pas le plan de l'histoire concrète en faveur d'un prétendu contenu spirituel; sur bien de points il offre des données historiques de haute qualité ignorées des autres évangiles, ce qui fait songer à un témoin oculaire au moins aux premiers stades de la transmission. De même, les grands thèmes johanniques sont tous enracinés dans le terrain biblique et juif.

L'usage du vocabulaire hellénistique semble être davantage une question de forme que de fond, dû à l'influence de la culture dominante à l'époque en cette partie du monde.

L'originalité de Jn est autre: elle est dans son caractère *contemplatif*, sa capacité de passer et de repasser les événements dans son cœur pour s'en pénétrer jusqu'à la signification dernière. L'historicité des faits reste inviolée, mais ils sont si bien assimilés que l'on ne voit plus le passage entre les faits et leur signification polyvalente. Plutôt que de nous faire cheminer pas à pas jusqu'à reconnaître en Jésus, le fils du charpentier de Nazareth, le Messie, Fils de Dieu, Jn nous présente d'emblée le Christ de la foi. Jésus est le Verbe de Dieu (1.1), Fils unique du Père (1.18), mais puisque le Verbe s'est fait *chair* (1.14), l'objet de la foi est une vie humaine dans toute sa densité historique, un homme qui pleure (11.35), qui éprouve la fatigue et la soif (4.6-7), qui noue des amitiés (11.5; 13.23). Comme celui d'un grand artiste, quoique sur un autre plan, le regard contemplatif de Jn correspond au mystère de l'incarnation, nous révélant un monde transparent, poreux à l'éternel.

Dans les commentaires on a pris l'habitude de parler de «l'eschatologie réalisée» qui caractérise cet évangile. Autrement dit, Jn accorde plus de poids au présent qu'à l'avenir: déjà dans la vie, voire la mort de Jésus, l'essentiel est donné; la vie éternelle commence *maintenant* par la rencontre avec le Christ (3.16-18; 5.24; 8.51; 17.1-3) même si l'on ne nie pas un accomplissement ultérieur (par ex. 5.28-29). Ces différents accents ne doivent pas pour autant nous faire oublier qu'un même souci commande la réflexion johannique et l'emploi du langage eschatologique ou apocalyptique dans le reste du Nouveau Testament: la conviction que dans la vie et la mort de Jésus nous rencontrons le tournant décisif de l'histoire humaine, malgré les apparences ambiguës ou contradictoires. L'apocalyptique utilise le concept de la «fin du monde» pour décrire la signification véritable de ce qui se passe maintenant (cf. CD 230-232): l'avenir absolu révélera la vérité cachée du présent, lorsque le Fils de l'homme viendra dans sa gloire, tous reconnaitront le bien-fondé des prétentions de Jésus. Mais nous pouvons aussi intervertir les termes et dire la même chose à partir de l'autre côté: pour pouvoir tenir un tel discours sur l'avenir, cet avenir doit être déjà en quelque sorte opérant aujourd'hui. Pour Jn, alors, l'avenir absolu est comme une dimension permanente qui surplombe tous les temps. C'est le ciel (3.13,31-32 etc.), le sein du Père (1.18), sa maison (14.2). Pleinement enraciné dans cette dimension (on devrait plutôt dire «chez lui»), Jésus détient cet absolu comme une qualité constitutive de son être. Il est la *vraie* lumière (1.9; cf. 1 Jn 2.8), le *véritable* pain du ciel (6.32,55), le *bon* berger des brebis (10.11), la vigne *véritable* (15.1) et ainsi de suite.

Cette insistance sur le «déjà présent» n'évacue pas pour autant le côté dynamique de cet évangile, comme on pourrait le craindre. Chez Jn aussi il y a une progression, un chemin à suivre. Jésus est un pèlerin allant inexorablement à la rencontre de son *heure* qui vient (2.4; 7.30; 8.20; 12.23,27; 13.1; 17.1), moment de la pleine manifestation de son identité, en langage biblique de sa *gloire*. Cette heure définitive est «l'heure où le Fils de l'homme sera élevé» (cf. 3.14; 8.28; 12.34), expression typiquement johannique en ce qu'elle embrasse d'un seul regard et la mort sur la croix et la résurrection-ascension, la montée vers le Père. Heure historique et qui en même temps déborde le cadre de l'histoire humaine, elle marque le sommet de la révélation: «ils regarderont celui qu'ils ont transpercé» (19.37; cf. Za 12.10).

Tous les écrivains du Nouveau Testament témoignent d'une façon ou d'une autre qu'en Jésus-Christ, l'avenir absolu fait irruption dans le présent des hommes. Mais comme Jn, nous l'avons vu, est particulièrement attentif au «déjà accompli», pour lui le problème de la *manifestation* se pose avec acuité. Autrement dit, si tout est accompli, comment se fait-il que tous n'ont pas perçu cet accomplissement? Ici la question essentielle n'est pas «quand cela arrivera-t-il et quel sera le signe que tout cela va finir?» (Mc 13.4) mais «comment reconnaître dans la vie de Jésus des signes de la gloire de Dieu?» Peu à peu, les humains se départagent entre ceux qui sont capables de discerner la véritable identité de Jésus et de l'accueillir, et ceux qui ne peuvent voir sauf de manière superficielle, en langage johannique, ceux qui sont nés de Dieu ou de son Esprit (1.13; 3.3,5) et ceux qui sont de la terre (3.31), d'en bas, de ce monde (8.23).

Certes, Dieu a envoyé son Fils pour sauver le monde (3.16), mais pour recevoir le salut le monde doit renier sa suffisance et s'ouvrir à autre chose. Dans la mesure où il ne veut être qu'un univers clos avec des prétentions totalitaires, il se prive de la vie en plénitude. Ceux par contre qui acceptent de renaître de l'Esprit (3.5-8), de venir avec Jésus (1.39) en lui faisant confiance (14.1) se mettent en état de comprendre et de voir «des choses plus grandes encore» (1.50). Cette problématique commande une grande partie du quatrième évangile, et elle est résumée dans le prologue: la lumière brille dans le monde mais n'est pas reconnue de tous; ceux qui l'accueillent finissent par être transformés en ce qu'ils contemplent: nés de Dieu, ils deviennent pleinement ce qu'ils sont en réalité, des enfants de Dieu (1.9-13; 12.36; cf. 2 Co 3.18).

L'envoyé du ciel

Après ce survol de quelques particularités de l'évangile de Jn, regardons maintenant comment l'auteur présente le chemin de Jésus. Comme pour d'autres thèmes, nous verrons que par rapport aux synoptiques il radicalise et systématise les données, s'attachant avant tout à leur signification profonde et permanente pour la foi.

Dans les autres évangiles, nous l'avons vu, Jésus est «celui qui vient». Jn pour sa part n'hésite pas à utiliser cette expression pour décrire Jésus (1.15,27; 3.31) et il sait bien qu'elle peut être un titre eschatologique ou messianique (6.14; 11.27; 12.13), car le Messie doit «venir» (4.25; 7.31,41-42). Ce titre implique déjà que l'être en question n'est pas prisonnier de ce monde, de ses habitudes et de ses valeurs: sa source est ailleurs. Cela, Jn le dit très explicitement: Jésus est Celui-qui-vient d'en haut (3.31; cf. 8.23), du ciel (3.31; cf. 3.13; 6.33,41,42,50,51,58; cf. 1 Co 15.47). Autrement dit, il vient de Dieu (3.2; 8.42; 13.3; 16.27,30; 17.8; cf. 7.29), pas de lui-même (7.28). Pour Jn le ciel n'est pas, comme pour nous, un lieu vague ou mythique, loin des préoccupations de notre terre. Il est la demeure de Dieu, Source de tout ce qui existe, ou même un synonyme du Nom imprononçable. Il est donc la Réalité par excellence.

Ce fait d'être l'envoyé d'un Autre, appelé le plus souvent «le Père» (3.35; 6.57; 10.36; cf. 5.43; 12.13) et de le savoir (8.14), donne à Jésus une liberté souveraine. Sûr de sa relation inébranlable avec le Père (8.16b,29), il n'a pas à craindre les critiques et les jugements humains (5.34,41) ni à chercher à se justifier (8.50,54). Il peut se rendre témoignage à lui-même sans risque d'égoïsme (8.12-18). Paradoxalement, le fait que Jésus ne s'appartient pas, qu'il est venu faire la volonté d'un autre (6.38) et ne peut rien faire (5.19,30) ni dire (12.49-50) de lui-même le rend parfaitement lui-même, libre et maître de ses actes. C'est qu'il n'a pas abdiqué sa liberté en se soumettant à un être humain, à une idée, à une institution devenue un absolu, donc une idole. Au contraire, il reconnaît sa vérité et en vit, celle d'être le Fils du Père, source de toute vie et liberté. Parce que Jésus ne veut rien être hors de son Père, avec son Père — toujours là pour lui (8.29; 16.32) — il est tout: il a reçu le pouvoir de donner la vie (5.21; 6.57), de juger (5.22), de faire les œuvres de Dieu (5.17,36; 10.25,37-38). En un mot, le Père a remis toutes choses entre ses mains (13.3a; 3.35). Ainsi il peut révéler aux humains la vérité ultime de Dieu, ses desseins d'amour, avant tout l'étonnant mystère d'une communion.

Si Dieu («en haut,» «le ciel») est ainsi l'origine du chemin de Jésus, quel en est le terme? Pour Jn, Celui-qui-vient vient avant tout dans le *monde* (par ex. 6.14; 10.36; 11.27), c'est-à-dire l'ensemble de la création culminant dans le genre humain, jouissant d'une autonomie relative et guetté par la tentation de la suffisance. La venue de Jésus offre à ce monde beau mais hanté par la tristesse de la finitude la possibilité d'un dépassement, d'une existence meilleure. Jésus vient dans le monde pour le sauver (3.17; 12.47), pour lui donner la vie en plénitude (10.10; cf. 3.16), pour rendre témoignage à la vérité qui le libérera (18.37; 8.32). Son intention est donc essentiellement salvifique. D'où l'image de *lumière* souvent associée à la venue du Fils dans le monde (1.9; 3.19; 12.46): sa présence éclaire le chemin, permet de marcher sans trébucher, sans se perdre (12.35; 11.9-10). Autrement dit, à travers l'existence de Jésus, Dieu nous montre en quoi consiste la vie authentique («la vérité») et nous donne la possibilité de la vivre.

Pourquoi Jn emploie-t-il l'image d'une descente, d'un mouvement du ciel au monde pour décrire ce qu'on appelera plus tard l'incarnation de Jésus et son intention rédemptrice? Certains ont voulu voir ici un schéma platonicien ou gnostique, mais avant de chercher des influences au loin nous devrions en examiner de plus près le contexte immédiat, en vue de trouver d'éventuels parallèles. En effet, la notion de Dieu (ou de son représentant) faisant irruption dans le monde est très enracinée dans la littérature biblique et apocalyptique (CD 47, 232). Quant à la Torah, la Loi ou Parole de Dieu, elle est parfois comparée à une lumière (Ps 119.105) parce qu'elle indique aux fidèles le juste chemin à suivre. Mais le parallèle le plus saillant se trouve dans le courant sapientiel du judaïsme, à savoir, la réflexion sur la Sagesse de Dieu préexistante qui descend sur terre pour illuminer les hommes[1]. En Sirach 24, par exemple, la Sagesse divine, personifiée, raconte qu'elle demeurait au ciel avant d'entreprendre un pèlerinage à travers l'humanité et finalement d'élire domicile permanent en Israël:

> Je suis issue de la bouche du Très-Haut
> et comme une vapeur j'ai couvert la terre.
> J'ai habité dans les cieux
> et mon trône était une colonne de nuée.
> Seule j'ai fait le tour du cercle des cieux,
> j'ai parcouru la profondeur des abîmes.
> Dans les flots de la mer, sur toute la terre,
> chez tous les peuples et toutes les nations, j'ai régné.
> Parmi eux tous j'ai cherché le repos,
> j'ai cherché en quel patrimoine m'installer.
> Alors le créateur de l'univers m'a donné un ordre,
> celui qui m'a créée m'a fait dresser ma tente,
> Il m'a dit: «Installe-toi en Jacob,
> entre dans l'héritage d'Israël.»
> Avant les siècles, dès le commencement il m'a créée,
> éternellement je subsisterai.
> Dans la Tente sainte, en sa présence, j'ai officié;
> c'est ainsi qu'en Sion je me suis établie,
> et que dans la cité bien-aimée j'ai trouvé mon repos,
> qu'en Jérusalem j'exerce mon pouvoir.

Je me suis enracinée chez un peuple plein de gloire,
dans le domaine du Seigneur, en son patrimoine.
(Si 24.3-12; cf. Pr 8.22-31; Ba 3.32-38)

Pour le sage, la Sagesse de Dieu présente en filigrane à travers la création est finalement récapitulée dans la Torah de Moïse (Si 24.23ss; 15.1). De même, dans le livre de la Sagesse, plus tardif, Dieu envoie sur terre sa Sagesse, présente lors de la création (Sg 9.9), afin de conduire par son inspiration le peuple de Dieu à travers toutes les étapes de son histoire (Sg 9-10). Lors de l'Exode d'Egypte par exemple, elle «les guida par un chemin merveilleux, elle devint pour eux un abri pendant le jour et une lumière d'astres pendant la nuit» (10.17). Cette méditation sur l'origine et l'activité de la Sagesse a permis aux sages d'Israël de lier ensemble révélation divine et réflexion humaine, élection d'un peuple et présence universelle de Dieu dans sa création, la transcendence de Dieu et son activité au cœur du monde.

Vu dans ce contexte, nous pouvons mieux apprécier la continuité de la perspective johannique avec la tradition biblique ainsi que sa nouveauté. De tout temps Dieu cherche à orienter et conduire sa création en lui communiquant quelque chose de lui-même, en langage johannique, par sa Parole qui est vie et lumière (Jn 1.1-10). Cette communication se passe d'une manière unique dans l'existence du peuple d'Israël (1.11; cf. Si 24.8,10-12). Cette optique, Jn la partage avec les sages d'Israël. Mais il va plus loin. La présence de la Sagesse de Dieu dans la Torah n'est pas la fin de sa carrière, car maintenant elle s'incarne pleinement dans un être humain: «Le Verbe s'est fait chair et il a habité parmi nous» (1.14). Dans sa méditation sur la vie de Jésus, Jn est également plus conscient de la redoutable possibilité pour les humains de rejeter la lumière, éventualité non pas voulue par Dieu, certes, mais faisant néanmoins partie du mouvement de l'histoire de salut. Ce rejet est visible à travers l'histoire de l'humanité (1.10; cf. Ba 3.15-31) et même du peuple élu (1.11b; cf. Ba 3.1-14; Lc 11.49); il atteint son point culminant dans la crucifixion du Fils unique de Dieu. En Jésus, l'auto-compréhension de Dieu devient visible et tangible, et marche sur nos routes

(1.18). Dès lors, tout dépend de l'attitude qu'on a envers lui et les conséquences qu'on en tire.

«Si tu savais le don de Dieu»

Dans les trois premiers évangiles, l'activité de Celui-qui-vient consiste dans un enseignement original sur le Règne de Dieu, souvent au moyen de paraboles, et dans des guérisons miraculeuses, des gestes qui montrent la présence réelle mais encore cachée du Règne. Chez Jn, ces deux activités sont plus conjuguées. Jésus accomplit quelques grands *signes*, il utilise des éléments tout simples de la création — l'eau et le vin, le pain, la lumière — les transformant pour indiquer une réalité d'ordre spirituel. Autrement dit, la présence de Jésus rend le monde transparent à une autre dimension, au «ciel» (cf. 1.51); le cosmos n'est plus un monde clos, il devient sacramentel. Dans les actes de Jésus, pour ceux qui savent voir, la gloire de Dieu transparaît. Les paroles de Jésus sont souvent un commentaire qui élucide le contenu des signes. Puisque le Fils *est* la révélation du Père, ce qu'il *fait* est révélateur, et il parle avant tout pour rendre attentif à ce qu'il est et à ce qu'il fait. S'il parle beaucoup de lui-même et presque jamais du Règne (mais cf. 3.3,5), c'est que sa propre existence est le commencement du Règne, une partie du monde (de la «chair») transfigurée, rayonnant de la gloire de Dieu.

Les gestes et paroles de Jésus reprennent les symboles, les institutions et les événements de l'histoire d'Israël pour marquer leur accomplissement. En sa personne il récapitule tous les dons faits par Dieu à son peuple à travers les siècles[2]. L'eau des purifications juives est transformée en un vin nouveau et meilleur, symbole du Royaume (2.1-12). Ce premier signe renvoie à la première des plaies annonçant l'Exode d'Egypte, l'eau transformée en sang (Ex 7), mais ici c'est la vie qui en résulte, non pas la mort[3]. Jésus purifie le Temple et annonce son relèvement futur en trois jours: le vrai Temple c'est lui-même, lieu de rencontre entre l'humanité et Dieu (2.13-22).

De même, chez les prophètes d'Israël la vigne est une image classique du peuple de Dieu, soigneusement cultivée par le Seigneur en vue de produire des fruits de justice (Is 5.1-7; Jr 2.21; Ps 80.9ss; Ez 19.10-14; cf. Ex 15.17); une fois, Ezéchiel l'applique à la maison royale (Ez 17). Jésus s'annonce lui-même comme la vraie vigne, récapitulation du peuple élu et bien propre de Dieu en ce monde (Jn 15). Il est également le bon berger, celui qui donne sa vie pour les brebis, seul capable de les mener vers la vie véritable. Cette image elle aussi a une longue histoire en Israël. Appliquée en premier lieu à Dieu lui-même (Is 40.9-11; Ez 34.7-16; Jr 23.3; Ps 23.1), elle se rapporte ensuite à tous les responsables du peuple (Jr 2.8; 10.21) depuis David (Ps 78.71) et même Moïse (Nb 27.17; Is 63.11; Ps 77.21). Par le ministère de ces derniers Dieu a pu effectivement conduire son peuple, tandis que d'autres avaient été de mauvais guides («des mercernaires», cf. Jn 10.12) qui préféraient «se paître eux-mêmes» et devaient être remplacés par Dieu (Jr 23.1-4; Ez 34; cf. Za 11). L'image du berger indique bien l'aspect dynamique d'une vie à l'écoute de Dieu, elle rappelle les origines pérégrinantes du peuple de Dieu, l'Exode et la vie des patriarches.

Les grands thèmes de l'Exode, expérience fondatrice du peuple de l'Alliance, sont très présents en filigrane chez Jn. Le Baptiste décrit Jésus comme l'agneau pascal, immolé le jour de la libération (1.29,36; Ex 12). Son élévation sur la croix est comparée au serpent d'airain élevé par Moïse au désert pour guérir les pécheurs qui le contemplaient (3.14-15; Nb 21.4-9; Sg 16.5-12)[4]. Après la multiplication des pains (Jn 6) Jésus déclare qu'il est, lui, la vraie manne, le pain venu du ciel pour donner la vie au monde (6.31-33). Mais ces paroles sont une épreuve pour les disciples, qui *murmurent* alors tout comme les Israélites murmuraient contre Moïse et contre Dieu dans le désert (6.41,61; cf. Ex 15.24 etc.; CD 72, n.9). Enfin les deux grands symboles de la Fête des Tentes, l'eau vive qui jaillit (7.37-39) et la lumière qui éclaire le chemin (8.12), évoquent, en plus de leurs autres connotations, l'histoire du rocher au désert (Ex 17.1-7; cf. 1 Co 10.4) et la colonne de feu qui guidait le peuple (Ex 13.21-22). Célébration de la récolte, la Fête des Tentes commémorait aussi les années du pèlerinage dans le désert. Une tradition rabbinique parle des trois grands dons de Dieu lors de l'Exode: la manne, l'eau et la colonne de feu. Ils sont chacun identifié avec un personnage, Moïse, Miriam et Aaron, et d'après la tradition, à leur mort ces dons ont disparu[5]. Selon l'évangile de Jean, avec la venue de Jésus ces dons sont plus que jamais présents au milieu du peuple de Dieu. Jésus est le donateur, voire le don par excellence ; sa venue donne aux humains tout le nécessaire pour se mettre en route, pour vivre de la vie en plénitude[6].

«Venez et voyez»

Jésus est effectivement le point de départ d'un pèlerinage. Son venir provoque un venir des autres à lui. Marc avait fait suivre les premières paroles de Jésus par l'appel des premiers disciples : des hommes simples laissent famille et métier pour s'embarquer dans une aventure avec le Maître. Jn décrit à sa façon le même processus par une série de verbes significatifs. Deux disciples de Jean-Baptiste *écoutent* son témoignage en faveur de Jésus et *suivent* celui-ci. Jésus *se retourne*, les *regarde* et demande : «Que *cherchez*-vous ?» Réponse des disciples : «Où *demeures*-tu ?» Et Jésus : «*Venez* et *voyez*.» Ils *vinrent* et *virent* où il *demeurait* et ils *demeurèrent* auprès de lui (1.35-39). Là nous avons en raccourci tout le cheminement du disciple. Un homme ou une femme écoute le témoignage d'un autre croyant et commence lui-même à suivre Jésus jusqu'à la rencontre personnelle. La rencontre indirecte conduit à la rencontre directe (cf. 4.28-30,39-42). Cela inaugure une nouvelle étape où le disciple cherche et, en compagnie de Jésus, trouve la source de l'activité de son Maître, le pourquoi de son existence, sa «demeure». Ayant vu cela, il peut dès lors enraciner sa propre vie dans la même Source. Aucune véritable compréhension de Jésus n'est possible sans courir d'abord le risque de se mettre en route et de le suivre. Seule la confiance en lui ouvre la porte à son identité : «venez et vous verrez».

Ceux qui ont fait ce cheminement deviennent à leur tour des témoins. André *trouve* son frère Simon et l'*amène* à Jésus. Philippe fait le même avec Nathanaël. Par la rencontre avec Jésus, le scepticisme de cet adepte de la Torah se mue en foi et Jésus lui promet : «Tu verras mieux encore» (1.50). Les croyants feront l'expérience de la vraie identité de Jésus comme lien entre ciel et terre; le Fils de l'homme eschatologique apparaît ici comme médiateur permanent («échelle») entre les hommes et Dieu (1.51).

Ce schéma général du cheminement des disciples n'épuise pas pour autant toutes les possibilités. On vient à Jésus de toutes les manières: un notable le visite de nuit pour ne pas être observé (3.2), une Samaritaine le rencontre en cherchant l'eau d'un puits (4.7), des femmes amies viennent à sa rencontre (11.20,29), les foules accourent à cause de ses signes miraculeux (6.5,24; 10.41; 11.45; 12.9,11,18-19) et à un moment critique même des non-juifs cherchent à le voir (12.20-21). Toutes ces démarches ne sont pas équivalentes: si «tous» vont vers Jésus (3.26; 12.19), Jn sait que bien souvent ils sont motivés par une foi superficielle, encore tout occupés de la recherche d'eux-mêmes et de leurs avantages personnels ou collectifs, fermés à des dépassements essentiels (2.23-25). Certes, Jésus est la source de la vie en plénitude (10.10) et il ne rejette personne (6.37b); celui qui vient à lui n'aura pas faim (6.35) et l'assoiffé qui vient trouvera toujours de quoi boire (7.37-38), l'aveugle en venant recouvre la vue (9.7) — bref, c'est avec raison qu'on vient à lui pour avoir la lumière (8.12) et la vie (5.40). Mais le chemin vers la vie est Jésus lui-même (14.6) et le suivre signifie faire route avec lui même quand on ne comprend pas (6.60-69). Qui veut accueillir ce que Jésus veut offrir doit être prêt à se laisser transformer de fond en comble par le don. En ce sens il est plus difficile de recevoir que de donner, car l'acte de recevoir nécessite un lâcher prise, un renoncement à sa propre suffisance pour devenir pèlerin avec Jésus.

Dans le chapitre 6, nous découvrons pas à pas, à partir du symbole du pain, toutes les conséquences de l'accueil du don de Jésus. Le chapitre commence par le récit de la multiplication des pains, raconté aussi par les autres évangélistes. Pour eux, ce miracle est surtout un signe de la surabondance de Dieu manifestée en Jésus, tandis que pour Jn il représente la première étape d'un approfondissement de l'idée même de donner et de recevoir. Ceux qui bénéficient de ce signe restent d'abord à un niveau superficiel, au plan des avantages matériels. Ils veulent obliger Jésus à devenir leur roi

(6.15) et ils continuent à le suivre dans l'espoir de remplir encore une fois leurs ventres de pain (6.22-26). Pour sa part Jésus cherche à les faire passer à un niveau plus profond: «Travaillez non pour la nourriture qui se perd, mais pour la nourriture qui demeure en vie éternelle, celle que vous donnera le Fils de l'homme» (6.27a).

Ensuite, Jésus leur explique que le pain matériel n'est qu'un signe d'autre chose. Le vrai pain du ciel, le don essentiel de Dieu qui donne la vie au monde, c'est Jésus lui-même (6.32-35). Et il poursuit:

> En vérité, en vérité, je vous le dis,
> si vous ne mangez la chair du Fils de l'homme
> et ne buvez son sang,
> vous n'aurez pas la vie en vous.
> Qui mange ma chair et boit mon sang
> a la vie éternelle
> et je le ressusciterai au dernier jour. (6.53-54)

La crudité de ces propos choquent profondément certains de ses disciples et désormais «ils cessent de faire route avec lui» (6.66). Ils prennent ces paroles trop à la lettre, alors qu'elles sont «esprit...et vie» (6.63). Ne pouvons-nous cependant voir, derrière ce refus de se salir les mains, une motivation plus profonde: la peur d'accepter un don qui bouleverserait trop leur propre conception du monde et de la vie, qui les lancerait en haute mer sans autre repère ni sécurité que Jésus lui-même (cf. 6.16-21)? D'accord pour un maître qui enseigne des choses intéressantes sur Dieu, un faiseur de miracles qui distribue des vivres à l'heure du repas, mais attention s'il veut trop nous donner! Des cadeaux intempestifs ne peuvent que compliquer notre vie. Le vin nouveau risquerait fort de faire éclater les outres.

Dès lors, pour suivre Jésus il faut une faim et une soif à la mesure du don qu'il veut nous faire. Et ce désir ne peut être creusé en nous que par Dieu lui-même. Le disciple découvre alors à un moment donné que sa décision de venir, motivée sur le plan humain par divers facteurs plus ou moins imparfaits, était en réalité obéissance à un appel secret venant tout droit de la Source: «Tout ce que me donne le Père viendra à moi…nul ne peut venir à moi si le Père qui m'a envoyé ne l'attire…quiconque s'est mis à l'écoute du Père et à son école vient à moi…nul ne peut venir à moi si cela ne lui est donné par le Père» (6.37,44,45,65). Il ne s'agit de rien moins qu'une nouvelle naissance, d'en haut (3.3-8), une naissance non charnelle mais de Dieu (1.13). L'essentiel n'est pas dans l'activité humaine mais dans la disponibilité à suivre, à faire confiance, à se laisser enfanter par Dieu. A ceux qui demandent «Que devons-nous faire pour travailler aux œuvres de Dieu?» Jésus répond: «L'œuvre de Dieu, c'est que vous croyiez en celui qu'il a envoyé» (6.28-29). Comme avec la femme samaritaine, Jésus semble faire appel à notre bonne volonté, à notre désir de *bien faire* («Donne-moi à boire» 4.7), mais plus on avance, plus on découvre qu'il s'agit plutôt de *recevoir* (4.10) et que cela nous engage bien au-delà d'un acte passager de bienveillance qui n'entamerait en rien notre autonomie illusoire.

La crise du monde

L'offre de la vie en plénitude, la gloire de Dieu inondant la terre à travers la venue parmi nous du Fils, exerce un pouvoir d'attraction créateur de communion. Et pourtant il y a ceux qui ne viennent pas (5.40) ou qui délaissent le chemin en cours de route (6.66; cf. 13.30). Peu à peu, un tri commence à s'opérer parmi les auditeurs en fonction de leur attitude fondamentale envers Jésus. Sont-ils prêts ou non à accueillir le don? La réponse à cette question va révéler le fond de leur cœur, le choix pour ou contre Jésus équivaut en dernier lieu à un choix pour ou contre la lumière et la vie.

L'expression utilisée par Jn pour indiquer ce tri est le mot *krisis*, «jugement». Encore une fois, l'évangéliste emprunte une expression eschatologique et montre son actualité au moment présent. L'essentiel n'est pas dans un jugement exercé par Dieu «à la fin des temps», mais dans l'accueil et la confiance en Jésus et son message *aujourd'hui* (3.18; 5.24). Certes, Jésus est venu pour sauver, non pour juger (3.17; 8.15; 12.47), son intention est de donner gratuitement (1.12; 4.10; 7.37), d'accueillir tous ceux qui viennent (6.37b; cf. 12.32). Mais puisqu'en lui le Père a tout donné sans annuler pour autant la liberté humaine, il existe une possibilité de refuser le salut offert. La venue du Fils place ainsi les humains devant une alternative fondamentale. Elle est une «crise» qui provoque une division (7.43; 10.19), une «mise en question» (9.39 TOB; cf. 15.22).

La première partie de l'évangile de Jn (ch. 1-12) prend figure alors d'un grand procès. Les uns et les autres donnent ou écoutent des témoignages à propos de Jésus mais en fait ce sont eux-mêmes qui sont jugés. D'un côté il y a ceux qui n'accueillent pas le don de Dieu. Ceux-ci restent attachés aux apparences (7.24), ils jugent selon la chair (8.15) et ne pénètrent pas, comme Jésus, la réalité profonde par un jugement juste (5.30; 7.24) et vrai (8.16). Ils cherchent le prestige et l'honneur aux yeux des autres (5.44; 12.43) et ils ont peur d'être déconsidérés (12.42). Ils restent farouchement attachés à leurs habitudes et à leurs prétentions sans vouloir en chercher la signification ultime (5.39-40; 8.33). Bref, ils fuient la lumière (3.19-20), ils ne veulent pas venir à Jésus pour avoir la vie (5.40) et «au dernier jour» cela sera manifeste (12.48; 5.29).

D'autres, par contre, sont capables de recevoir de Jésus «des paroles de vie éternelle» (6.68). Ils viennent à lui et voient, ils écoutent sa voix et lui font confiance. Ils demeurent avec lui, même sans toujours saisir la portée de ses paroles et de ses actions. Par là ils montrent qu'ils sont «nés de Dieu» (1.13), donnés à Jésus par le Père (6.37,39; 10.29; 17.2,6,9,11,24). Ceux-là n'ont pas de jugement à redouter (3.18) car il est déjà derrière eux: en compagnie de Jésus ils ont passé de la mort à la vie (5.24) et à la fin cela aussi sera manifeste (5.29).

Pour bien apprécier la portée de ces affirmations, il est essentiel de les situer dans la perspective fondamentale de saint Jean au lieu de les interpréter selon notre problématique à nous. L'évangile de Jn n'est pas un enquête sociologique sur la vie en Palestine au début de notre ère. L'auteur ne veut pas affirmer, par exemple, que tous ceux qui n'ont pas su reconnaître en Jésus le Messie d'Israël ont été (ou sont) coupables d'un péché contre la lumière. Jn ne partage pas notre intérêt moderne pour la subjectivité, ni pour les conditionnements historiques et socioculturels. Ils veut simplement nous faire comprendre qu'en Jésus de Nazareth, le prédicateur ambulant d'il y a deux mille ans, nous sommes confrontés en fait au sens ultime de l'existence. En Jésus-Christ, le terme de notre recherche, notre bonheur véritable, ce pour quoi nous avons été créé, entre en plein dans l'histoire humaine. Sa vie et son message sont et resteront la mesure ultime pour jauger notre existence, même si nous ne le savons pas encore. Pour cette raison, le choix pour ou contre lui, avec tout ce qu'il implique, est la seule vraie alternative apparaissant sous mille couleurs dans l'histoire de l'univers. Objectivement, quoi qu'il en soit de notre compréhension subjective, Jésus est le dernier mot que Dieu a à dire, et par conséquent il est notre avenir absolu.

Ceci dit, il faut aussitôt ajouter que Jn intègre à sa façon l'élément subjectif. Bien qu'en un sens tout soit déjà donné dès le début de cet évangile, l'auteur montre de différentes façons comment le «déjà donné» devient toujours plus manifeste et est mieux assimilé. Le processus ressemble davantage à la création d'un tableau par un artiste au moyen de touches successives qu'à un cheminement linéaire. Dès le début de l'évangile, les grands thèmes johanniques comme «la vie», «la gloire», «le jugement» sont évoqués de façon globale, et par la suite ils réapparaissent toujours plus nuancés.

En Jn 3.35, par exemple, Jésus déclare: «Le Père aime le Fils et a tout remis dans sa main.» Plus tard ce «tout» est explicité: le Père a remis le pouvoir de jugement au Fils, ce qui pour Jn, nous l'avons vu, consiste essentiellement dans la capacité de donner la vie (5.19-30). Ensuite nous apprenons que le Fils exerce ce pouvoir en devenant nourriture pour les fidèles, il donne sa vie pour que nous puissions entrer dans la même relation qu'il a lui-même avec le Père (6.57). Au chapitre 8, dans un climat de polémique, Jésus affirme qu'en fait il bénéficie du soutien constant du Père et que de son côté il dit et fait toujours ce qui plaît au Père, tandis que ses adversaires ne connaissent pas le Père (v. 27-29,42-44,54-55). Tout cela mène à la grande affirmation de Jésus qui ferme la boucle:

«Moi et le Père, nous sommes un» (10.30,38). Au terme de ce parcours, ces simples mots sont pleins de signification pour l'auditeur, et cette signification ira grandissant par la suite avec la résurrection de Lazare (11.41-42), la voix du ciel (12.28) et surtout dans la prière de Jésus à la veille de sa mort (ch. 17)[7].

Il y a donc, chez Jn comme dans les autres évangiles, une révélation progressive de l'identité de Jésus et de sa mission. Tout n'est pas à laisser ou à prendre en bloc. Les uns sont toujours plus soutenus dans leur cheminement à sa suite, tandis que les autres sont toujours plus confirmés dans leur opposition, qui passe de la simple incompréhension à la volonté active de faire disparaître le trouble-fête.

Le terme de cette révélation progressive pour Jn est l'*heure* de Jésus, réalité bien plus complexe qu'une simple indication sur un calendrier ou le cadran d'une montre. D'abord, c'est une heure qui *vient* (2.4; 7.30; 8.20; 12.23; 13.1; 17.1; cf. 4.21; 5.28; 7.6), une heure commandée uniquement par la volonté du Père[8]. Elle ne fait pas nombre avec nos heures terrestres: si pour Jésus elle s'identifie essentiellement avec le don de sa vie sur la croix (par ex. 12.23ss), elle ne se limite pas à un moment de l'histoire mais se dilate jusqu'à rencontrer chaque être humain dans son aujourd'hui. «L'heure vient et c'est maintenant» (4.23; 5.25) dans la rencontre avec le Fils. Elle est l'heure de la pleine manifestation de son identité, en langage johannique de sa glorification (12.23; cf. 7.39), où la véritable signification des choix de chacun pour ou contre la lumière sera rendue visible (cf. 19.37).

Une montée paradoxale

L'heure de Jésus est avant tout «l'heure de passer de ce monde vers le Père» (13.1). Si la première partie de l'évangile de Jn décrit le chemin de celui qui vient du ciel dans le monde pour le sauver, la deuxième partie (à partir du ch. 13) est polarisée par le départ de Jésus, sa montée pour retourner «là où il était auparavant» (6.62). Jn souligne le fait que ce départ n'est ni échec de Jésus devant ses adversaires ni abandon des disciples, mais accomplissement de sa mission par la création d'une voie nouvelle de communion entre Dieu et les humains.

Dès son dialogue avec Nicodème, Jésus avait parlé d'une *montée* au ciel (3.13; cf. 6.62). Il le lia aussitôt avec une image empruntée au livre de l'Exode: «Comme Moïse éleva le serpent au désert, ainsi faut-il que soit élevé le Fils de l'homme» (3.14; cf. Nb 21.4-9). La tournure de cette phrase est passive, c'est quelque chose fait à Jésus par les autres; en plus, nous rencontrons cet «il faut» qui ailleurs dans les évangiles signifie le dessein souverain du Père, moteur fondamental de l'histoire humaine[9]. Ensuite, nous apprenons que les «juifs» qui ne le comprennent pas vont l'élever (8.28) et plus tard, Jn explique que cette élévation se réfère à sa mort imminente sur la croix (12.33; cf. 18.32). Et chaque fois l'acte reçoit une finalité salvifique: Jésus est élevé pour donner aux croyants la vie éternelle (3.15), pour révéler sa vraie identité comme Fils unique de Dieu (8.28), pour créer autour de lui une communion universelle (12.32)[10].

Ailleurs, Jésus parle plutôt de son *départ*. Il s'en va vers celui qui l'a envoyé, où ses adversaires n'auront pas de prise sur lui (7.33-34; 8.21), où même ses disciples ne pourront pas le suivre aussitôt (13.33,36). Les évangiles synoptiques, rappelons-nous, se terminent par une longue montée à Jérusalem. Chez Jn, par deux fois le départ ou montée de Jésus vers le Père est implicitement identifié avec le voyage à Jérusalem. Dans le chapitre 7, ses frères l'incitent à monter à Jérusalem pendant la Fête des Tentes pour se manifester. Conscient de l'hostilité à son égard et sachant que son temps n'est pas encore venu, Jésus s'y refuse alors, montant ensuite à la dérobée. Et dans le chapitre 11, Jésus décide en pleine connaissance de cause, malgré l'opposition accrue contre lui et au péril de sa vie, de s'en aller en Judée (v.8) le troisième jour (v.6) pour ressusciter son ami Lazare (v.6-16). Bien davantage qu'un simple voyage vers la capitale pour une fête religieuse, l'approche de Jérusalem est pour Jésus une rencontre avec son heure, un départ et une montée vers le Père.

Après la résurrection de Lazare, le dernier et le plus grand des signes faits par Jésus durant son ministère itinérant, l'opposition contre lui augmente à l'extrême et il se retire de nouveau (11.53-54). Cependant, à l'approche de la fête de la Pâque, Jésus, prêt à la mort (12.1-8), fait son entrée solennelle dans la Ville sainte comme le roi pauvre prédit par les prophètes, suivi par le monde entier (12.12-19). Auparavant Jésus avait refusé d'être reconnu comme roi par la foule (6.15). Mais voilà qu'à la fin de sa vie, lorsque toute équivoque est levée, ce thème va connaître un soudain essor.

La fin du chapitre 12 lie clairement les deux dimensions para-doxales de l'élévation de Jésus. La venue de quelques non-juifs pour voir Jésus est pour lui le signe que son heure est finalement venue, car les prophéties de la montée des nations à la Ville sainte sont maintenant en passe de se réaliser (cf. Is 2.2-4; CD 169-170, 183-184, 206, 215-216). C'est l'heure de la *glorification* du Fils de l'homme (12.23), la révélation plénière de son identité comme Fils du Père; mais c'est également l'heure de son abaissement, comme le grain qui tombe en terre pour mourir (12.24). Jésus désire et redoute en même temps cette heure paradoxale: il connaît un mo-ment de débat intérieur analogue au combat de Gethsémani décrit par les synoptiques avant d'en sortir raffermi par la confiance au Père (12.27ss). Ce qui paraît un échec aux yeux du monde est en réalité l'acte fondateur d'une humanité réconciliée (12.32).

En ce moment critique, Jésus explique plus clairement la voca-tion du disciple. Venir à lui n'est qu'une première étape: il faut ensuite le *suivre* dans son acte d'abandon qui est chemin vers le Père (12.26). Cela la foule ne peut le saisir, pour elle le Christ doit «demeurer à jamais» (12.34). Elle préfère la tranquillité de la pos-session aux rigueurs du pèlerinage. Comme elle ne veut pas se met-tre en route, guidée par la lumière, elle se condamne à demeurer dans les ténèbres (12.35), trébuchant comme une aveugle (cf. 12.40) lorsque Jésus aura passé plus loin (12.36). Pour elle la mon-tée de Jésus est simplement une disparition, la fin prévisible quoi-que tragique de son histoire.

La première partie de l'évangile de Jn se termine par un portrait de Jésus offrant une dernière fois la vie en plénitude à ses compatriotes. Ils refusent de le suivre, «car ils aimèrent la gloire des hommes plus que la gloire de Dieu» (12.43; cf. 5.44). Ainsi ils transforment un message de salut en étalon pour juger leur comportement (12.46-48). Désormais, Jésus s'écarte d'eux et passe la dernière période de sa vie terrestre avec la petite communauté des disciples, ceux que le Père lui a donnés pour poursuivre son œuvre dans le monde.

Le chemin vers le Père

Avec le chapitre 13 nous entrons dans l'heure de Jésus, son passage vers le Père qui coïncide avec la Pâque des juifs (13.1). A cause de sa grande densité de signification cette étape prend dans l'évangile une place hors de proportion avec sa durée chronologique: sept chapitres (13-19), soit plus d'un quart de l'évangile, pour raconter une période de moins de 24 heures. Chez les synoptiques, les événements de la passion et de la mort de Jésus sont précédés par le récit de la dernière cène où, par un geste au cours du repas, Jésus communique aux siens la signification de sa mort imminente. Jn va plus loin dans ce sens, racontant un geste puis l'expliquant; les paroles de Jésus se transforment en un long discours-dialogue avec les disciples qui se récapitule ensuite en une prière au Père. Le tout (ch.13-17) est généralement appelé le discours de la Cène ou le discours d'adieu. Il représente les dernières volontés de Jésus, une charte pour la constitution de la communauté qui continuera sa mission après son départ vers le Père.

Tout d'abord, il y a le geste éloquent par lequel Jésus révèle son identité, le sens ultime de sa venue et de son départ. Ici ce n'est pas la transformation du pain et du vin en son corps donné et son sang versé, mais la signification en est du même ordre. Jésus se dépouille de ses vêtements et lave les pieds des disciples. En se mettant à la place d'un esclave ou d'un homme qui veut honorer grandement quelqu'un, lui, le Maître et Seigneur, opère un renversement inouï. C'est un geste de service, de purification, et peut-être plus encore de tendresse. Bref, c'est une révélation de l'extrême de l'amour (13.1) qui trouvera son accomplissement le lendemain sur la croix, amour divin et non pas humain en son essence, devenu humain dans et par la vie du Fils.

En révélant ainsi son secret, Jésus agit à partir d'un niveau inaccessible aux humains et bouleverse toutes nos catégories terrestres. Pour cette raison, afin de pouvoir l'imiter, le «suivre», les disciples ont d'abord à recevoir cette capacité de leur Maître, à se laisser laver les pieds par lui. Cela, Pierre ne peut le comprendre: il réagit par un refus qui se transforme aussitôt en son contraire (13.6-9), il fait preuve d'une générosité mal éclairée qui veut brûler les étapes et finit par être présomptueuse (13.36-38). Sa relation avec son Maître est encore trop humaine. Il compte encore trop sur sa propre compréhension de Jésus, sur ses propres capacités à le suivre. En fin de compte, Pierre veut diriger sa vie par lui-même, il ne voit pas encore la nécessité de s'abandonner, de recevoir.

Autrement dit, Pierre et ses compagnons sont dans une incapacité totale à saisir la raison profonde du départ de Jésus en vue d'accomplir sa mission, départ qui va précisément leur permettre de le suivre sur le chemin de service et d'amour, le chemin vers le Père. Sans cet acte du don de soi jusqu'à l'extrême, jusqu'à la mort, l'amour de Dieu ne serait pas totalement incarné au cœur de l'histoire humaine. Il resterait une abstraction, un idéal ou une aspiration sans garantie de réalisation. Si par contre Jésus lave les pieds des siens en s'abaissant par amour pour eux, ils pourront à leur tour faire cela les uns aux autres, ils auront un exemple à suivre (13.15), ils seront dès lors des envoyés (13.16,20). La montée de Jésus, autrement dit son abaissement par amour, est le seul moyen de briser la glace d'un monde clos sur lui-même, d'ouvrir une voie de communion avec le Père.

S'il en est vraiment ainsi, cela implique en outre que la mise à mort de Jésus, manifestation extrême de la puissance du mal (13.2,27; cf. 8.44), serve paradoxalement, à un niveau plus profond, à réaliser l'intention de Dieu. Elle devient le moyen de l'élévation de Jésus, de son départ qui ouvre le chemin vers le Père. En d'autres termes, Satan coopère, à son insu et contre son gré, au dessein salvifique de Dieu. Jn est peut-être l'évangéliste le plus conscient de ce fait si difficile à saisir sans le déformer, d'où l'ironie plus poussée dont il fait preuve ici.

Cette ironie éclate par exemple dans les paroles du grand-prêtre, bien plus significatives que leur intention explicite: «Il est de votre intérêt qu'un seul homme meure pour le peuple et que la nation ne périsse pas tout entière» (11.50). De même, dans sa présentation de Judas, Jn nous montre à quel point l'amour du Fils neutralise l'esprit du mal. Jésus sait «dès le commencement» qui va le livrer (6.64,70-71; 13.11,18), néanmoins il le garde parmi ses intimes et, au moment même où Judas s'apprête à le livrer, il lui donne une marque supplémentaire de sa prédilection en partageant avec lui un morceau de nourriture (13.26)[11]. Les paroles qui suivent établissent un lien surprenant entre ce geste d'amitié et l'intention hostile de Judas: «Après la bouchée, alors Satan entra en lui. Jésus lui dit donc: Ce que tu fais, fais-le vite.» Il serait erroné d'en déduire une unité de vues entre Jésus et Satan, ou une justification de l'acte de Judas qui quitte la lumière pour les ténèbres extérieures (13.30). Jésus est «troublé» (13.21), blessé par l'infidélité de l'un de ses intimes, mais précisément son acceptation de cette souffrance et son don d'amour en retour «désarment» Satan et le placent au service de la vie. Aucune victoire sur les forces redoutables du mal n'est possible si l'on se sert des mêmes armes. Seul l'amour qui pardonne et qui accepte de souffrir peut transfigurer de l'intérieur la mort en chemin de vie.

Avec le départ de Judas qui va mettre en branle les forces de destruction, Jésus entame son dernier entretien avec ses disciples. On a remarqué les parallèles entre ces chapitres et le livre du Deutéronome[12]. Dans les deux cas nous avons un discours d'adieu prononcé par des chefs, Moïse ou Jésus, sur le point de quitter ceux qui les suivaient. Le maître prodigue des paroles d'encouragement et de réconfort face à son absence imminente, ainsi que des instructions pour la vie future concernant les relations entre les membres du groupe et envers leurs adversaires. Le discours veut essentiellement conduire les auditeurs à demeurer ensemble, fidèles à leur source commune. En d'autres termes, il a le même rôle que la charte d'une alliance. Le Deutéronome rappelle le miracle de l'Exode et la traversée du désert, soulignant la formation d'un peuple par le choix gratuit du Seigneur (par ex. Dt 7.7-8; 9.5-6). Il exhorte les fidèles à continuer à marcher sur les chemins de Dieu en gardant ses commandements, en vue de recevoir l'héritage: la terre promise, la fécondité, le repos et la présence continuelle du Seigneur au milieu d'eux. Les fidèles doivent, à leur tour, transmettre ces paroles aux générations à venir. De cette façon un peuple est né et devient, au sein de l'histoire, un signe vivant de l'existence et de l'identité du Dieu d'Israël.

Jn, lui, ne parle pas explicitement d'alliance. Mais on n'a pas tort de voir dans le discours de la Cène un commentaire sur «la nouvelle Alliance» (Lc 22.20; cf. Jr 31.31) instaurée en Jésus par son passage au Père[13]. Les disciples doivent comprendre que le départ de leur Maître là où ils ne peuvent pas encore aller (13.33) est nécessaire, salutaire même, car il est le prélude à une présence nouvelle, plus profonde et plus durable. Ce départ est l'autre face d'un venir qui fonde une communauté nouvelle et universelle; par lui Jésus fait don de l'amour fraternel, signe existentiel de la présence divine au cœur du monde. Pour le peuple de l'Exode déjà, la Loi était avant tout un *don* de Dieu qui scellait son Alliance et faisait d'eux le peuple de Dieu; ici, à plus forte raison, «le commandement nouveau» (13.34) de l'amour mutuel est beaucoup plus un cadeau qu'un ordre, parce que son accomplissement reste forcément au-delà de l'effort humain. S'il est effectivement vécu, c'est que Dieu en personne est présent et agissant.

Jésus cherche à expliquer le sens de son départ imminent de différentes façons. Il va préparer pour les siens un lieu dans la maison de son Père, avant de venir les prendre avec lui. Il est, en effet, le chemin vers le Père (14.2-6). Son départ permet ainsi la création d'une communion parfaite entre l'humanité et Dieu (cf. 1.51). A cause de son départ et de sa présence auprès du Père, les disciples seront capables de faire les œuvres de Jésus «et même de plus grandes» (14.12), ils iront à leur tour et porteront beaucoup de fruit.

La montée de Jésus auprès du Père va instaurer une nouvelle forme de présence: «Je ne vous laisserai pas orphelins. Je viendrai vers vous» (14.18). En d'autres termes, à la demande de Jésus, le Père enverra «un autre Paraclet» (14.16) dont la présence ne fera jamais défaut. Le mot «paraclet» signifie «soutien, défenseur, consolateur»; son premier sens est juridique, c'est l'avocat qui défend l'accusé. Ici il indique la présence agissante et efficace de Dieu au sein de la communauté des disciples, leur soutien fidèle parmi les épreuves de l'existence dans un monde hostile. Cet «autre Paraclet» est aussitôt identifié avec l'Esprit qui gardera les disciples dans la vérité de Jésus (14.17), et un peu plus tard Jésus précise comment cela se fera (16.13): l'Esprit conduira les fidèles sur le chemin de la plénitude de la vérité, le chemin de Jésus, le chemin qui est Jésus (cf. 14.6). Ce mouvement ascendant et actif est néanmoins englobé par sa contrepartie, un mouvement descendant, car il s'agit surtout d'un don divin: l'Esprit vient pour «dévoiler les choses à venir» (*ta erchomena*). Par l'emploi de cette expression de coloration apocalyptique, Jn indique que la vérité en question est la révélation plénière du dessein de Dieu[14]. L'Esprit fera en sorte que le message de Jésus ne devienne jamais lettre morte mais reste toujours actuel et source de vie (14.26). Affermis par sa présence, les disciples rendront témoignage à leur Seigneur (15.26-27) et confondront ainsi le monde sûr d'avoir mis fin à «l'affaire Jésus» (16.8).

Cette venue de l'Esprit (15.26; 16.13) n'exclut pas pour autant ni ne remplace la venue de Jésus lui-même. Jésus vient aux siens (14.3,18), il vient avec le Père à ceux qui l'aiment pour y établir sa demeure (14.23). La venue de Jésus dans la première partie de l'évangile était une venue dans le monde pour le sauver, cette venue-ci est une venue à ceux qui gardent sa parole: eux le verront, tandis que le monde ne le verra plus (14.19; cf. He 9.28). C'est une venue sous le signe de l'absence: «je m'en vais et je viens vers vous» (14.28)[15].

Dès lors, ce qui importe pour les disciples c'est de demeurer en Jésus comme les sarments sur la vigne, en vue de porter du fruit (15.1-8). La vigne véritable, image du peuple de Dieu, c'est Jésus; c'est également Jésus uni à tous ceux qui lui appartiennent: Jésus et la communauté des disciples ne font pas nombre, car cette communauté existe uniquement en tant qu'elle est «en lui». Demeurer en Jésus, c'est garder ses commandements (15.10), notamment celui de l'amour fraternel (15.12), le don de sa vie (15.13). C'est encore être un ami de Jésus, non seulement un esclave ou un serviteur (15.14-15) mais quelqu'un qui agit en pleine connaissance de cause, qui a un rapport direct avec le Père (16.26-27; 20.17). Le disciple n'aura pas la vie facile: il connaîtra l'opposition et même l'hostilité du monde qui a mis à mort son Maître (15.18 - 16.4). Cependant, dans la pleine assurance qu'en Jésus l'amour de Dieu a rendu impuissant le monde hostile (16.33), sa vie sera marquée par une paix (16.33a; 14.27) et une joie (15.11; 16.20-24; 17.13) inébranlables.

Tout cela, il est évident que les disciples ne sont pas à même de le comprendre lors de la dernière cène. Néanmoins Jésus tient à le dire, en vue de l'avenir. Par trois fois il proclame: «Je vous le dis maintenant avant que cela n'arrive, pour qu'au moment où cela arrivera, vous croyiez» (14.29; 13.19; 16.4). A présent, au terme d'un long cheminement, les disciples peuvent enfin croire que leur Maître «est sorti de Dieu» (16.30), mais tout ce qui touche à son départ, à son inéluctabilité, à sa signification, leur reste encore voilé[16]. Pour le comprendre, il leur faudra une autre illumination, conséquence de la résurrection (cf. 20.17b). A présent ils ne saisissent pas encore la nécessité d'être lavés par Jésus (13.7) ni le drame qui se passe entre lui et Judas (13.22,28-29). D'abord ils ne comprennent pas que Jésus va les quitter pour aller là où ils ne peuvent le suivre (13.37), et ensuite, lorsqu'ils l'ont saisi, cela ne provoque en eux qu'un profond trouble intérieur (14.1,27; 16.6,20-22). Thomas résume bien leur état présent quand il dit: «Seigneur, nous ne savons pas où tu vas. Comment saurions-nous le chemin?» (14.5). Avant la venue de l'Esprit, fruit du départ de Jésus, toute interrogation sur le sens de ce départ paraît pur non-sens aux oreilles des disciples, une langue étrangère qu'ils ne connaissent pas encore (16.5-6,16-18). Etourdis par les douleurs de l'heure qui approche, l'heure de la séparation et de la dispersion (16.21,32), les disciples sont incapables de porter toute la vérité (16.12). Même la foi qu'ils ont acquise ne résistera pas à l'épreuve de l'heure: Jésus sait d'avance qu'il sera abandonné de tous, seul à affronter son sort (16.31-32).

Le chemin de Jésus et celui du disciple passent ainsi, avec des modalités différentes, par l'expérience de séparation, de solitude douloureuse en vue d'une communion en plénitude. C'est pour cette raison que Jésus dit des paroles de réconfort avant de quitter les siens, c'est pour cette raison aussi qu'il termine son discours d'adieu par la grande prière du chapitre 17. Jésus, en train d'aller vers le Père (v.11,13), se souvient de ses disciples encore dans le monde et demande qu'ils participent à la même relation de communion qui unit le Père et le Fils. Ainsi ils seront protégés contre les forces de dispersion et de destruction, leur unité d'amour sera la preuve qu'ils ne sont pas prisonniers du monde voué à la mort mais qu'en eux demeure active la présence vivifiante de Jésus et de son Père.

Tout en étant «avec Jésus» (v.24), les disciples ont désormais vocation d'être dans le monde (v.11,15) sans être du monde (v.14,16). Ils sont des envoyés, exactement de la même manière que Jésus lui-même a été l'envoyé du Père (v.18). Si le monde en général ne retient plus l'attention de Jésus (v.9), ce n'est pas parce qu'il serait tombé sous le coup d'une condamnation définitive. Au contraire, l'objet de sa mission reste toujours que «le monde croie» (v.21) et reconnaisse en Jésus l'envoyé de Dieu (v.23). Seulement, dorénavant cet objectif s'accomplira moyennant l'existence des disciples et de ceux qui suivront leurs traces (v.20), toute la communauté des croyants traversant les siècles, ce que nous appelons l'Eglise. A travers l'existence de cette communauté, par son unité avec le Père et le Fils et entre ses membres, Jésus et son œuvre demeurent présent parmi les humains: en elle la gloire de Dieu (v.22), son amour rayonnant (v.26), brille dans les ténèbres du monde (cf. 1.5).

«Voici votre Roi!»

Dans son récit de la Passion, Jn suit de beaucoup plus près les autres évangiles que pour le reste de son œuvre. En même temps il élimine ou réduit l'importance des éléments d'hésitation et d'humiliation dans le comportement de Jésus tels l'agonie à Gethsémani, la moquerie des passants sous la croix et son dernier cri d'abandon. Jn met l'accent pour sa part sur tout ce qui montre Jésus, même dans son abaissement extrême, comme pleinement maître de la situation: Jésus en fait dirige tout, il se donne consciemment et délibérément (cf. 10.18). En un mot, Jésus est le *roi*, bien que d'une toute autre manière que les rois de ce monde jouissant d'une autorité fondée sur la contrainte (18.36). L'autorité de Jésus découle naturellement de son identité comme Fils de Dieu: lors de son arrestation il n'a qu'à révéler cette identité par l'usage de l'expression divine «Je suis» (cf. 8.24,28; 13.19) pour provoquer un mouvement instinctif d'hommage, voire d'adoration chez ses adversaires[17].

La royauté de Jésus reflète ainsi la vérité de son être (18.37). Elle consiste dans le fait qu'il est le bon berger (10.11), le Fils unique envoyé par Dieu dans le monde pour conduire les hommes vers la vie véritable. Cette royauté-là, Jésus ne peut la perdre. Il n'a pas besoin de s'y agripper jalousement, d'entrer en concurrence avec un César, par exemple. Il est roi simplement en étant fidèle à lui-même. D'où le paradoxe évangélique: cette royauté brille plus clairement dans son abaissement, lorsque dépouillé de toute beauté humaine Jésus se donne librement pour ouvrir une voie entre l'humanité et le Père. Le mouvement vers le bas est alors en réalité un mouvement vers le haut. Pour cette raison, il est de la plus haute importance pour Jn que Jésus meure élevé sur une croix à la manière romaine et non pas lapidé par les juifs (18.31-32). C'est aussi la raison pour laquelle Jn insiste tellement sur l'inscription placée sur la croix avec le motif de la condamnation, exemple classique de l'ironie johannique: le crucifié est proclamé roi universel par un écriteau en trois langues (19.19-22).

Chez Jn la passion de Jésus est une longue réflexion sur le pouvoir et l'autorité véritables. En apparence elle prend la forme d'un procès où Jésus est condamné à mort pour ses prétentions royales et divines, mais en fait dans la rencontre avec Jésus ce sont les autres qui sont jugés, leurs véritables intentions et motivations sont mises à nu. Pierre a peur et nie toute relation avec lui (18.17,25-27). Les notables juifs proclament: «Nous n'avons de roi que César!» (19.15). Ainsi ces hommes, si soucieux de leur pureté rituelle

(18.28) et désireux d'inculper Jésus de blasphème (19.7), finissent par commettre eux-mêmes un blasphème vraiment énorme.

Le personnage central en face de Jésus lors de son procès est le gouverneur romain, Ponce Pilate. A son égard aussi l'ironie est manifeste. Représentant imposant de l'occupant, le tout puissant empire romain, cet homme est peu à peu réduit à l'impuissance totale face à cet inculpé apparemment seul et démuni. D'emblée il se rend ridicule par la mise en scène même du procès. Obligé à courir sans arrêt entre les juifs «purs» à l'extérieur du palais et le prisonnier à l'intérieur avec les païens, il ressemble plus à un coursier qu'à un dirigeant. Convaincu de l'innocence de Jésus, il est incapable de le sauver de la mort. L'impressionant système de justice romain se révèle en fin de compte impuissant à établir la justice. Pilate bute sur le thème de la vérité, et à la fin il reste seul avec ses deux questions, désormais sans réponse: «Qu'est-ce que la vérité?» (18.38) et «D'où es-tu?» (19.9). Tout ce qu'il peut faire, et à son insu, c'est de proclamer au monde l'identité de Jésus: l'Homme véritable (19.5), le Roi (19.14; cf. 19.19ss).

Lorsque la condamnation est enfin décidée, Jésus prend lui-même les choses en main. Il porte seul sa croix (nulle mention ici du Cyrénien!) et *sort* vers le lieu de sa mort (19.17). Jn insiste beaucoup sur la mort de Jésus comme *accomplissement* du dessein de Dieu: «sachant que tout était déjà accompli, pour que l'Ecriture soit accomplie...Jésus dit: Tout est accompli» (19.28-30). Les citations et allusions scripturaires sont, chez Jn, particulièrement nombreuses ici. Le symbolisme pascal est très net: Jésus meurt à l'heure où, dans le Temple, les agneaux sont tués pour le repas pascal (19.14) et tout comme les agneaux, ses os ne doivent pas être brisés (19.36; cf. Ex 12.46). Il y a également des allusions au juste persécuté des Psaumes (vêtements partagés Ps 22.19; soif Ps 22.16; 69.22; os Ps 34.21) et au Transpercé du Second Zacharie (19.37; cf. Za 12.10; CD 240). Encore une fois, ce qui importe pour Jn, plus que la mort, c'est le don de la vie que fait Jésus. Il est actif, c'est-à-dire capable de donner la vie, même au moment de la plus grande passivité dans une existence humaine, la mort. «Inclinant la tête, il remit l'esprit» (19.30). Avec un jeu de mots typiquement johannique, l'évangéliste indique que pour Jésus, la mort n'est rien d'autre que la transmission du souffle de vie aux autres. De même ce curieux détail, le sang et l'eau qui sortent du côté de Jésus frappé par le lance, détail auquel Jn attribue une si grande importance (19.34-35). C'est encore le même thème: la mort de Jésus est en réalité effusion de vie, don de l'Esprit. La descente vers la mort est en fait une montée vers le Père pour ouvrir un chemin, un départ pour rendre possible une venue nouvelle et vivifiante: «je m'en vais et je viens à vous...c'est votre intérêt que je m'en aille; car si je ne pars pas, le Paraclet ne viendra pas vers vous» (14.28; 16.7).

Dans notre étude des évangiles synoptiques, nous avons distingué dans le chemin de Jésus deux temps: d'abord un ministère itinérant dans les bourgs et campagnes de la Galilée, ensuite une montée à Jérusalem, développée surtout chez Lc, lieu de sa Pâque, de sa mort et de sa résurrection. Jn reprend ces deux volets à sa façon, les transposant à un autre niveau. Jésus exprime cela dans une phrase très dense prononcée juste avant de mourir: «Je suis sorti d'auprès du Père et venu dans le monde. De nouveau je quitte le monde et je vais vers le Père» (16.28). Jésus sait «qu'il était venu de Dieu et qu'il s'en allait vers Dieu» (13.3)[18].

Venu dans le monde pour le sauver en lui offrant la vie véritable, Jésus constate que dans son ensemble le monde ne veut pas l'écouter, bien que certains «nés de Dieu» viennent pour demeurer avec lui (cf. 1.10-12). Jésus vient pour que des hommes et des femmes puissent venir à lui: voici le résultat du premier volet de l'évangile. Il est «le Christ, le Fils de Dieu, Celui-qui-vient dans le monde» (11.27).

Le deuxième volet de l'évangile est centré sur le départ de Jésus par sa mort en croix. Ce départ semble être le fruit d'un échec, le triomphe du mal. En fait cette heure de ténèbres (cf. 9.4; 13.30) est l'heure d'une nouvelle naissance (16.21; cf. 3.3-5): le départ de Jésus permet aux disciples de le suivre, d'avoir part à sa communion avec le Père (13.36; 14.3), et de venir à leur tour dans le monde comme témoins de cette communion (17.17-23), en langage johannique d'être consacrés et envoyés. Par sa montée vers le Père, montée qui n'annulle en rien sa venue, Jésus se révèle comme le *Chemin* (14.6) désormais ouvert entre le monde et le Père. Les événements historiques de la vie et la mort de Jésus acquièrent ainsi une dimension permanente, «transhistorique». Une brèche a été ouverte à tout jamais dans la voile qui sépare les hommes de Dieu (cf. Mc 15.38; Hb 6.19-20; 9.11-12,24; 10.20).

L'établissement de cette échelle entre terre et ciel (cf. 1.51) est une conséquence de l'élévation de Jésus sur la croix, une fruit de la graine tombée en terre (12.24). Mais ce fruit reste encore caché aux yeux des disciples jusqu'à sa venue pascale (20.19) inaugurant le premier jour d'une semaine nouvelle. En attendant, le Roi se repose dans son jardin parfumé (19.38-42; cf. Ct 4.12ss), l'univers se concentre dans un Eden d'où tout peut reprendre vie.

POUR LA RÉFLEXION

1. Selon Jn, le Fils vient dans le monde pour donner la vie en plénitude (cf. Jn 3.16-17; 10.10). Que signifie pour moi cette expression «la vie en plénitude»? Où la trouver? Quels obstacles m'empêchent d'y accéder?

2. En sa personne, Jésus récapitule tous les dons faits par Dieu à son peuple à travers les siècles. En ce sens, que signifient les images du pain (Jn 6), du berger (Jn 10), de la vigne (Jn 15), de la lumière (Jn 1.9; 3.19; 8.12; 11.9s; 12.35-46) appliquées par Jn à Jésus?

3. Pour Jn, le jugement (krisis) n'est pas essentiellement un acte qui a lieu à la fin des temps mais l'alternative fondamentale placée devant nous par la venue du Christ dans le monde. La venue de la lumière conduit à un choix toujours à refaire: accourir ou fuir, faire confiance ou chercher à se justifier, accueillir le don ou maintenir sa suffisance. Par quelles sortes d'alternatives ce jugement se réalise-t-il dans mon existence aujourd'hui? Comment comprendre les paroles de Jésus quand il dit qu'en sa compagnie nous sommes déjà passés de la mort à la vie (Jn 5.24)?

4. Le départ de Jésus, loin d'être le constat d'un échec, est l'accomplissement de sa mission. Son abaissement par amour est en réalité une montée vers le Père pour nous ouvrir un chemin, pour établir entre Dieu et l'humanité une commu-

nion inébranlable. Comment le récit du lavement des pieds (Jn 13) illustre-t-il ces affirmations? Pourquoi Jésus dit-il: «Si je ne te lave pas, tu n'as pas de part avec moi...Le serviteur n'est pas plus grand que son maître, ni l'envoyé plus grand que celui qui l'a envoyé» (Jn 13.8,16)?

5. Comment la relation de Jésus avec Judas, et sa façon de traiter celui qui va le livrer (voir surtout Jn 13.21-30), nous aident-elles à mieux comprendre sa vie et son message?

6. La passion de Jésus selon Jn est, entre autres, une méditation sur la royauté de Jésus. Qu'y apprenons-nous sur l'autorité véritable, sa source, sa signification et sa finalité?

1. Cf. Raymond E. BROWN, *The Gospel according to John I-XII* (The Anchor Bible, 29), Garden City, NY: Doubleday, 2nd ed. 1977, "Wisdom Motifs," p. cxxii-cxxv.

2. Cf. Jacques GUILLET, *Entre Jésus et l'Eglise* (coll. Parole de Dieu), Seuil, 1985, p. 287-288.

3. Cf. T. Francis GLASSON, *Moses in the Fourth Gospel* (Studies in Biblical Theology), London: SCM Press, 1963, p. 26.

4. GLASSON, p. 33-34, en signale un autre parallèle. L'expression employée par Jn pour parler des deux hommes crucifiés avec Jésus en 19.18, «un de chaque côté», semble faire allusion à Ex 17.12, où Aaron et Hur, se plaçant de chaque côté de Moïse en haut d'une colline, soutiennent ses bras jusqu'au coucher du soleil pour assurer la victoire aux Israélites. Or, il semble que dans les écrits rabbiniques, on fait le rapprochement entre cette histoire et le serpent d'airain élevé par Moïse dans le désert. En plus, Jn n'appelle pas les hommes crucifiés avec Jésus des «brigands» (Mc, Mt) ou «malfaiteurs» (Lc), il ne mentionne pas non plus leurs outrages (cf. Mc 15.32b).

5. GLASSON, p. 60-64.

6. Signalons aussi le rapport entre Jn 14.2 («Je vais vous préparer une place») et Dt 1.33 sur Dieu qui «vous précédait sur la route pour vous chercher un lieu de campement»: le texte de Jn est encore plus proche des Targums que du texte littéral de Dt. Voir Ignace DE LA POTTERIE, *La vérité dans saint Jean. Tome I: Le Christ et la vérité; l'Esprit et la vérité* (Analecta Biblica, 73), Rome: Biblical Institute Press, 1977, p. 250-251. En ce qui concerne les parallèles entre l'Exode et l'évangile de Jn, cf. aussi F.-M. BRAUN, *Jean le Théologien. II: Les grandes traditions d'Israël et l'accord des écritures d'après le quatrième évangile* (Etudes bibliques), Gabalda, 1964, p. 187-206; Donatien MOLLAT, *Etudes johanniques* (coll. Parole de Dieu), Seuil, 1979, p. 17-23.

7. Cf. C.H. DODD, *L'interprétation du quatrième évangile* (Lectio Divina, 82), Cerf, 1975, pp. 490-491, 406-407.

8. Cf. Hans URS VON BALTHASAR, *Théologie de l'histoire*, Fayard, 1970, p. 48-49: «[L'heure de Jésus] est essentiellement heure qui "vient", qui est là en tant qu'elle vient, et détermine ainsi tout ce qui arrive avant elle et se dirige vers elle. Et pourtant, même en tant que déterminante, elle est toujours celle qui vient d'arriver et ne peut être commandée à l'avance en aucune manière. Pas même par une science (Mc 13.32), car ce serait là aussi une anticipation qui détruirait l'accueil pur, nu, sans réserve, de ce qui vient du Père.»

9. Un parallèle intéressant est fourni par le récit de la Transfiguration chez Lc, où Moïse et Elie parlent «de son départ (*exodos*) qu'il devait (*émellen*) accomplir à Jérusalem» (Lc 9.31). Ici aussi la montée à Jérusalem est mise en rapport et avec l'Exode et avec la volonté divine. Ce rapprochement fait comprendre que cette montée est bien plus qu'une simple mort: en

elle se cache un acte divin de libération. Cf. André FEUILLET, «L'"Exode" de Jésus et le déroulement du mystère rédempteur d'après S. Luc et S. Jean,» *Revue Thomiste* 77 (1977), p. 181-187.

10. FEUILLET, p. 193-194 et DODD, p. 474 remarquent que le verbe «élever» renvoie au début du quatrième chant du Serviteur de Dieu en Is 52-53 pour exprimer la future glorification du Serviteur après sa mort douloureuse: «il grandira, s'élèvera, sera placé très haut» (Is 52.13). Or, il est frappant de constater que chez Jn, l'élévation de Jésus est toujours mise en rapport avec la figure du Fils de l'homme (3.14; 8.28; 12.34). Ailleurs (CD 243) nous avons interprété la vision du Fils d'homme en Dn 7 comme la prolongation du quatrième chant du Serviteur, vu, pour ainsi dire, du côté de Dieu. Ces rapprochements indiquent que l'unité entrevue si clairement par Jn entre la mort (élévation sur la croix) et la glorification (montée au ciel) de Jésus n'est pas simplement une idée géniale de l'évangéliste. Jésus lui-même, l'Exégète du Père (Jn 1.18), n'a-t-il pas vu l'identité entre le Serviteur du Second Isaïe et le Fils d'homme de Daniel comme une clef pour comprendre sa propre mission?

11. Le mot grec signifie seulement «une bouchée», pas forcément un morceau du pain. Néanmoins, il n'est pas impossible que nous ayons là une allusion à l'Eucharistie (cf. 13.18). Cf. notes *ad loc.*TOB et BJ.

12. Voir Aelred LACOMARA, «Deuteronomy and the Farewell Discourse (Jn 13:31 - 16:33),» *Catholic Biblical Quarterly*, Vol. 36 (1974), p. 65-84. Cf. aussi Yves SIMŒNS, *La gloire d'aimer. Structures stylistiques et interprétatives dans le Discours de la Cène (Jn 13-17)* (Analecta Biblica, 90), Rome: Biblical Institute Press, 1981, p. 202-227; FEUILLET, p. 195-196; GLASSON, p. 74-78.

13. LACOMARA, p. 84.

14. Voir DE LA POTTERIE, p. 445-453.

15. Cf. JEAN-PAUL II, Lettre encyclique *Dominum et Vivificantem* sur l'Esprit Saint dans la vie de l'Eglise et du monde (18 mai 1986), n. 61.

16. Godfrey C. NICHOLSON, *Death as Departure: The Johannine Descent-Ascent Schema* (SBC Dissertation Series, 63), Chico, CA: Scholars' Press, 1983, p. 165.

17. Le «Je suis» est un titre divin (cf. Ex 3.14). En l'adoptant, Jésus proclame qu'il est de condition divine, vraiment le Fils unique de Dieu, et par là Roi d'une manière qui dépasse toutes les autorités terrestres (cf. Ps 95.3; Dn 2.47). Voir BROWN, Appendix IV, p. 533-538.

18. Le prologue du quatrième évangile nous donne déjà une anticipation de ces deux dimensions du chemin de Jésus, les enracinant pour ainsi dire dans l'être même du Fils. Le Verbe est «Le Fils-unique qui-vient-du Père» (*monogenous para Patros*, 1.14) et aussi «Le Fils-unique qui est [tourné] vers le sein du Père» (*monogenès ho ôn eis ton kolpon tou Patros*, 1.18; cf. 1.1b). La carrière terrestre de Jésus est ainsi une transcription dans l'histoire humaine de son identité éternelle. Dieu n'a qu'une seule chose à nous révéler, et cette chose est lui-même.

«Les adeptes de la Voie»
(Actes 9.2)

V

Je vous précède...

Etant donné leur place tout à la fin des évangiles, il serait facile de considérer les récits de la résurrection et de l'ascension de Jésus comme l'aboutissement de son chemin. La résurrection serait alors la conclusion de l'histoire, le terme du voyage, le «happy ending» qui justifie tout ce qui précède. Perspective compréhensible mais insuffisante. Certes, la résurrection ratifie l'identité de Jésus comme le bien-aimé de Dieu; dans la lumière de ce grand Jour les disciples peuvent enfin commencer à comprendre vraiment le sens des événements du passé restés jusqu'alors énigmatiques, «voilés» (par ex. Mc 8.14-21; 9.10,32; Jn 2.22; 12.16), notamment la nécessité pour leur Maître de donner sa vie jusqu'au bout (Lc 24.7,26). En ce sens, la résurrection est un nouveau point de départ en sens inverse: elle motive un regard rétrospectif et mène à une réinterprétation du passé, elle fait pressentir l'unité du dessein de Dieu. En même temps, loin d'être une fin statique et suffisante, la résurrection représente un commencement nouveau du cheminement de Jésus avec ses disciples «jusqu'aux extrémités de la terre» (Ac 1.8). Plus que jamais, le Ressuscité est un pèlerin, davantage encore, il est un voyageur dont la simple rencontre lance les autres sur les routes. Tout entier mouvement, désormais il est tout entier Chemin (Jn 14.6), chemin vers le Père et chemin vers les hommes.

Une Réalité plus réelle que la nôtre

Chacun des récits évangéliques concernant la résurrection montre, à sa façon, ce départ en voyage, le passage de l'immobilité fixée sur un passé révolu à un dynamisme nouveau. La première annonce de la Bonne Nouvelle de la résurrection part du tombeau où Jésus avait été enseveli. Comme poussées par une force irrésistible, des femmes qui avaient aimé Jésus se dirigent vers ce lieu de «mémorial», où par des constructions de pierre des humains tentent de contrecarrer les effets de la mort et de garder dans le présent un passé heureux, un disparu regretté. Qu'elles viennent pour honorer son souvenir en embaumant le cadavre (Mc, Lc) ou simplement pour contempler (Mt), leur désir de garder vivant une relation est, humainement parlant, aussi explicable et louable que finalement vain.

Les choses ne suivent pas pour autant leur cours prévisible. Les femmes trouvent le tombeau ouvert et le cadavre absent. Les murs édifiés par les hommes, la grosse pierre, ne peuvent plus retenir une Vie plus forte que la mort. Pour enlever toute équivoque, il y a la présence de messagers célestes (réduits à l'état de vestiges chez Jn) qui proclament la Bonne Nouvelle: «Il est ressuscité, il n'est pas ici!» C'est que la vue du tombeau vide n'est pas suffisante (Jn 20.3-10; Lc 24.12), il faut une rencontre positive avec l'au-delà pour motiver une conversion.

Plus que jamais dans les évangiles (sauf peut-être dans les récits de la naissance de Jésus chez Mt et Lc) les récits de la résurrection interdisent tout concordisme facile. L'harmonie n'est pas à chercher au niveau de la lettre du texte. Nous sommes confrontés ici à une Réalité plus réelle que la nôtre, réfractée à travers des esprits humains insuffisamment éveillés pour la saisir adéquatement. En regard de la vie du Ressuscité nous sommes des êtres à peine éveillés, voire endormis. La Réalité s'efforce de pénétrer notre entendement comme les premiers bruits du matin pénètrent les rêves du dormeur. L'essentiel est là, mais nous ne pourrons jamais réduire cette Vie plus forte que la mort aux limitations de notre monde de ce côté-ci. La meilleure façon de procéder alors, c'est d'entrer dans l'optique de chaque évangile, de suivre son cheminement et d'entendre son appel à un revirement et à un élargissement de perspectives.

A travers la multiplicité des récits il y a cependant une constante : la rencontre avec la réalité de la résurrection met en route ; des hommes et des femmes ordinaires deviennent tout à coup des envoyés, des «apôtres». Chez Mt et Mc, les femmes reçoivent l'ordre d'aller vers les disciples pour transmettre un message (Mt 28.7,10; Mc 16.7). Chez Jn, le Ressuscité donne la même instruction à Marie de Magdala (Jn 20.17; cf. Mc 16.10). Lc ne connaît pas une telle injonction, mais les femmes (24.9; cf. Jn 20.2) ainsi que les disciples d'Emmaüs (24.33-35; cf. Mc 16.13) se dirigent spontanément vers les apôtres pour raconter leur expérience. Le premier mouvement est ainsi d'être renvoyé vers la communauté des croyants. D'emblée, le Ressuscité reconstruit la communion autour des Douze.

Cette première rencontre avec la réalité de la résurrection n'est pas en soi suffisante. Lc nous dit qu'aux apôtres, les récits des femmes «semblèrent du radotage, et ils ne les crurent pas» (24.11). Le thème du doute garde d'ailleurs une place importante et inéluctable dans les récits de la résurrection, comme pour nous prévenir qu'il ne s'agit nullement d'une transformation automatique, en fin de compte magique. Il n'est peut-être pas étonnant qu'on refuse de croire lorsque le message vient indirectement, à travers les dires des autres (Lc 24.11,22-24; Mc 16.11; Jn 20.25). Mais la rencontre directe elle-même n'est pas toujours pleinement convaincante (Mt 28.17; Jn 21.4,12), au moins dans un premier temps (Lc 24.16,37,41; Jn 20.14). Jn, suivant l'un de ses procédés habituels, personalise le thème du doute dans la figure de Thomas (20.24-29), ce qui permet à Jésus de louer tous ceux qui croiront sans avoir vu.

En général le doute, l'incapacité à être transformé par la Bonne Nouvelle de la résurrection, est un thème mineur dans les évangiles, subordonné au thème de la foi qui provoque comme un nouveau départ, une mise en route. Chez Mc, pourtant, le thème persiste dans toute sa radicalité, car la version la plus ancienne de l'évangile que nous pouvons établir se termine avec ces mots: «Et elles ne dirent rien à personne, car elles avaient peur...» (Mc 16.8). La peur et la non-transmission du message comme conclusion de l'évangile: cela est apparu si inacceptable que très vite on a essayé de remédier à la situation. D'une part on a souvent conclu qu'une fin originale avait été perdue ou supprimée. Par ailleurs, dans les premiers siècles, d'autres conclusions furent rédigées et admises dans le canon, même si des questions de style montrent de façon assez concluante qu'elles proviennent d'une autre main que celle de l'évangéliste Marc.

Faut-il alors se résigner au fait que le texte reçu de Mc soit irrémédiablement corrumpu, ou pouvons-nous attribuer une signification à la version originale qui se termine avec 16.8? Oui, si nous nous souvenons que cet évangile en son entier est écrit dans la lumière de la résurrection de Jésus, qui donne la certitude qu'il est Messie et Fils de Dieu (1.1). Au plein cœur de ce livre (9.2-8) se trouve le récit de la transfiguration de Jésus, portrait indubitable de sa condition glorifiée. Et tout à la fin nous rencontrons un homme vêtu de blanc, figure de l'évangéliste (16.5; cf. 14.51), qui proclame: «Il est ressuscité...il vous précède en Galilée, là vous le verrez» (16.6-7). Or la Galilée, lieu de la rencontre définitive avec le Ressuscité pour Mc et Mt, est aux antipodes du centre de la nation où la condamnation et la mort de Jésus avaient été arrêtées, c'est la «Galilée des nations» (Mt 4.15) où juifs et païens se côtoient quotidiennement. Du point de vue de la géographie spirituelle, la Galilée représente la périphérie, les «extrémités de la terre», le vaste monde, champ de la mission chrétienne. Ainsi pour Mc, les paroles du jeune homme ne pourraient-elles pas être une invitation pour la communauté des disciples à se mettre en route vers l'horizon dans le sillage du Christ ressuscité? Dans cette optique les apparitions du Ressuscité seraient secondaires, seule compte la rencontre que chacun fera pour sa part, en se mettant en route dans la foi, et encore la rencontre définitive qui marquera la fin des temps.

Si telle est en effet l'intention de Mc (chose impossible à trancher avec certitude, étant donné l'état du texte), il est intéressant que Mt apporte une confirmation, quoique d'une autre manière, de cette priorité accordée à notre rencontre présente et future avec le

Ressuscité par rapport aux apparitions pascales en Palestine. Le premier évangile se termine par une rencontre avec le Christ sur une montagne en Galilée (28.16-20), mais c'est ici tout autre chose que les rencontres plus «familières» chez Lc et Jn. En Mt 28, le Ressuscité n'est pas l'homme parmi les hommes qui montre ses plaies, mange ou prépare un repas, il est le redoutable Pantocrator d'une mosaïque byzantine, le Seigneur doté d'une autorité illimitée dans l'espace («au ciel et sur la terre...toutes les nations») et dans le temps («toujours, jusqu'à la fin du monde»). Il est l'Emmanuel, Dieu-avec-nous pour toujours. C'est une vision synthétique, méta-historique, où résurrection et parousie coïncident, à l'intérieur de laquelle se déroule toute l'histoire de l'Eglise chrétienne, un peu comme dans une basilique d'Orient où toute l'activité liturgique se déroule sous le regard du Pantocrator figuré sur la coupole. D'autre part c'est une vision extrêmement dynamique: le Seigneur envoie ses disciples partout («Allez donc...») et promet de les accompagner dans tous leurs cheminements.

Lc et Jn connaissent également un envoi en mission, mais d'une autre façon. Le Ressuscité rencontre la communauté des disciples à Jérusalem, dans la chambre haute, probablement autour d'une table (cf. Mc 16.14), le soir même du jour de sa résurrection. Chez Jn (20.19-23) le passage est très net entre la peur qui enferme le groupe (v.19) et la paix (v.19,21) et la joie (v.20) apportées par le Christ dans ce monde clos. Comme toujours, sa présence met en route, et ici le chemin des disciples est strictement parallèle à celui de Jésus lui-même: «Comme le Père m'a envoyé, moi aussi je vous envoie» (v.21b). Par le don du Saint-Esprit, les disciples deviennent une source de pardon pour le monde (v.22-23). Si le premier acte du Ressuscité est de reconstituer la communauté des disciples naguère dispersée par les puissances du mal, son deuxième acte est de dilater cette communauté aux dimensions du «monde entier» (Mc 16.15) par une invitation à se mettre en route liée au don de l'Esprit.

L'accomplissement du passé

Comme d'habitude c'est Lc, avec sa mentalité d'historien, qui distingue le mieux les différentes étapes. Le chapitre 24 de son évangile rassemble toutes les apparitions du Ressuscité jusqu'à l'ascension en une seule journée, journée typique — «le Jour du Seigneur» — et non pas chronologique (cf. Ac 1.3). De même, tout se déroule autour de la ville de Jérusalem: aucune mention d'une apparition en Galilée, et l'envoi en mission est remis à plus tard. Tout conduit vers la Ville sainte et la communauté des disciples, instruite par le Christ ressuscité avant sa montée au ciel. Sa préoccupation majeure est de leur faire saisir l'unité du dessein de Dieu, d'ouvrir leurs cœurs à l'intelligence des Ecritures (v.27,45) et notamment à l'inéluctabilité de sa mort et son lien à la résurrection: «Ne fallait-il pas que le Christ endurât ces souffrances pour entrer dans sa gloire?» (v.26; cf. v.7,46).

Jésus tourne le regard des disciples en arrière («Rappelez-vous» v.6) mais non pas pour tenter vainement de garder vivant un passé mort, d'annuler le passage du temps. Au contraire, maintenant ce passé est significatif parce qu'il est *accompli* par le passage du Christ (v.44). Ainsi doté d'un sens, il indique la continuité de l'amour miséricordieux du Père, sa fidélité «d'âge en âge» (Lc 1.50). Le temps n'est plus le lieu où règne la fatalité de la séparation et de l'aliénation, il dessine pour le croyant les traits du Dieu de l'amour.

Cette transformation se laisse clairement percevoir dans le récit des disciples d'Emmaüs, le cœur de Lc 24. Les deux hommes qui quittent la ville connaissent toute l'histoire de Jésus y compris le tombeau vide (v.19-24), mais cela n'enlève rien à leur tristesse fondamentale (v.17). Seule la présence du Ressuscité qui leur ouvre le sens de ces événements par l'interprétation des Ecritures (v.25-27) et qui se révèle à eux dans la fraction du pain (v.30-31) transforme cette histoire en *kerygme*, en proclamation d'une Bonne Nouvelle. Dès lors leur passé apparaît comme animé par la présence cachée du Seigneur (v.32). Du même coup l'avenir s'ouvre: les deux disciples courent vers la communauté de Jérusalem pour annoncer la nouvelle et faire part de leur joie; là ils découvrent qu'une même expérience les unit, car «le Seigneur est ressuscité et il est apparu à Simon!» (v.34).

Les dernières paroles du Christ ressuscité rapportées par Lc indiquent le chemin de l'avenir dans le contexte du dessein éternel du Père:

> Ainsi est-il écrit que le Christ souffrirait et ressusciterait d'entre les morts le troisième jour, et qu'en son Nom le repentir en vue de la rémission des péchés serait proclamé à toutes les nations, à commencer par Jérusalem. De cela vous êtes témoins. Et voici que moi, je vais envoyer sur vous ce que mon Père a promis. Vous donc, demeurez dans la ville jusqu'à ce que vous soyez revêtus de la force d'en-haut. (v.46-49)

Jérusalem est un aboutissement, car depuis les anciens prophètes l'intervention définitive du Dieu d'Israël dans le monde passe par un rassemblement universel dans sa Ville transfigurée (cf. Is 2.2-3a; Is 60-62). Mais c'est aussi un point de départ, le lieu d'où éclot un nouvel ordre mondial (Is 2.3b-4). Pour que cette étape nouvelle, ce mouvement centrifuge, puisse commencer, les disciples doivent attendre dans la ville jusqu'à ce qu'ils reçoivent du Christ «la promesse du Père...la force d'en-haut» (v.49). Et l'évangile se termine par la vue de Jésus montant vers le Père dans l'acte de bénir les siens (v.50-51). Bénir, dans la Bible, c'est faire don de la vie, mais le don que fait Jésus est celui de sa propre existence, source inépuisable de vie pour ceux qui croient en lui. Loin d'être l'indice d'une absence, l'ascension inaugure une nouvelle forme de présence, un peu comme dans la finale de Mt. Témoin la «grande joie» qui envahit le cœur des disciples, et le jaillissement intarissable de louange qui monte au ciel depuis le Temple (v.53). «Il les bénissait...ils étaient dans le Temple bénissant Dieu.» Désormais un vaste fleuve de vie coule entre le ciel et la terre, une communion inébranlable unit Dieu et sa création.

Jusqu'aux extrémités de la terre

Malgré cette fin impressionante, il est clair que l'œuvre de Lc serait incomplète si elle ne comprenait que le seul évangile. Tant qu'il n'y a pas d'envoi en mission, tant que le chemin du Christ n'inclut pas la proclamation à toutes les nations de l'offre du pardon divin (cf. Lc 24.47), le plein accomplissement des oracles prophétiques n'est pas encore arrivé[1]. C'est pour cette raison que Lc poursuit son récit dans un deuxième livre, LES ACTES DES APÔTRES. Ici le chemin du Ressuscité se transforme presque imperceptiblement en chemin des disciples, transformation rendue possible par le don de l'Esprit Saint. Dans la vie de la communauté chrétienne animée et soutenue par l'Esprit, le Ressuscité continue son pèlerinage sur la terre: la bonne nouvelle du Royaume part de Jérusalem, traverse la Palestine, l'Asie mineure et l'Europe pour arriver aux «extrémités de la terre» (Ac 1.8b; cf. Is 49.6) représentées par Rome, la capitale du monde païen.

Le début des Actes nous ramène un peu en arrière, avant l'ascension de Jésus. La communauté des disciples reçoit une formation pour la nouvelle étape qui va bientôt commencer. Le Seigneur ressuscité les instruit pendant quarante jours (1.2-3), chiffre biblique qui depuis l'Exode indique par excellence un temps de préparation, de transition, comme entre la sortie d'Egypte et l'entrée en Canaan (Dt 8.2) ou entre le baptême et le ministère public de Jésus (Mc 1.13). Après cette préparation, l'étape nouvelle débutera par un baptême dans le Saint-Esprit (1.5), baptême analogue à celui qu'avait reçu leur Seigneur (Lc 3.21-22).

A la question des apôtres portant sur le temps de la restauration de la royauté en Israël, Jésus donne cette réponse significative:

> Il ne vous appartient pas de connaître les temps et moments que le Père a fixés de sa seule autorité. Mais vous allez recevoir une force, celle de l'Esprit Saint qui descendra sur vous. Vous serez alors mes témoins à Jérusalem, dans toute la Judée et la Samarie, et jusqu'aux extrémités de la terre. (1.7-8)

Au premier abord ces paroles semblent décevantes, comme un refus de révéler le dessein de Dieu, réservé au Père. A y voir de plus près cependant, nous nous rendons compte que l'essentiel a été dit. Si aucune vue globale, extérieure, du dessein de Dieu n'est possible, néanmoins les apôtres connaitront ce dessein *en le vivant*. La réponse pleinement suffisante à leur interrogation sera accordée par le don du Saint-Esprit qui fera d'eux des témoins du Christ. Désir typiquement humain que de vouloir savoir tous les détails d'une entreprise avant de s'y engager. Humain, mais en fin de compte illusoire, parce qu'il nous réduirait à l'état d'automates condamnés à exécuter à la lettre un plan préétabli. La volonté de Dieu, par contre, n'annule jamais notre liberté mais la libère, c'est-à-dire la rend pleinement elle-même.

Une seconde conséquence de très grande portée découle de cette première réponse. Le dessein de Dieu, la restauration du Royaume, est essentiellement pour Lc *un chemin à parcourir*. C'est le chemin du témoignage avec ses trois étapes: d'abord dans la ville de Jérusalem, ensuite dans toute la Palestine, et finalement jusqu'aux extrémités de la terre. Là nous avons la table de matières des Actes des Apôtres, le reste du livre sera la concrétisation de ce parcours. Ce n'est donc pas un hasard que le nom propre de la vie chrétienne pour Lc est «la Voie»[2], car il s'agit essentiellement d'un être-en-route sous la mouvance de l'Esprit Saint.

Ses instructions communiquées, le Ressuscité s'en va (*poreuomai*, 1.10) vers le ciel sous le regard des disciples. Ainsi, comme Elisée avec son maître Elie (2 R 2.9-12), ils sont déjà certains de recevoir son esprit en partage[3]. Ils ne doivent pas attendre passivement son retour en regardant vers le ciel, un énorme champ d'activité terrestre est en train de s'ouvrir devant eux.

Rentrés en ville, les disciples — hommes et femmes — se tiennent dans une attitude de prière fidèle «tous d'un même cœur» (1.12-14): ils donnent ainsi comme première image de leur identité celle d'une communauté en prière, icône vivante de la communion et avec Dieu et entre les humains. Cette communauté a une certaine structure, et il importe de la garder: la place de Judas doit être remplie (1.15-26) pour que le collège des apôtres puisse compter douze membres, chiffre qui évoque la récapitulation de tout Israël («les douze tribus») dans le Royaume de Dieu.

Tout le bois sec a ainsi été réuni, mais il faut encore l'étincelle pour allumer le feu. C'est ce qui arrive le jour de la Pentecôte, fête juive qui commémore l'Alliance entre Dieu et son peuple, le don de la Torah sur le mont Sinaï (Ex 19). Cette année-là elle n'est pas seulement un mémorial du temps passé mais un accomplissement, un renouvellement véritable. Dans la ligne de l'oracle du prophète Jérémie (Jr 31.31-34), la Loi de Dieu est désormais écrite non pas sur des tables de pierre (Ex 31.18) mais sur les cœurs des fidèles par le don de l'Esprit même de Dieu (Ac 2.3-4; cf. Ez 36.26-27). Aussitôt s'ensuit un rassemblement de «toutes les nations», la disparité de provenance et de langue est dépassée dans une unité miraculeuse, fruit de l'Esprit (2.5-11). En réalité il n'est question que des croyants (juifs) de différentes parties du monde habité qui demeurent à Jérusalem, mais le regard inspiré de Lc y voit l'accomplissement définitif d'anciennes prophéties. De même Pierre, dans son discours à la foule pour expliquer l'événement, peut citer l'oracle du prophète Joël sur l'effusion de l'Esprit «sur toute chair» (2.17ss; cf. Jl 3.1-5) bien qu'il s'agisse ici d'un groupe assez restreint. C'est encore un exemple de la logique déroutante de l'Evangile: dès le jour de la Pentecôte tout est accompli, mais accompli en germe. L'accomplissement n'exclut en rien une croissance[4]. L'avenir absolu entre dans l'histoire non pas en tant que terme statique mais comme source permanente de fécondité, comme envoi sur les routes.

Dorénavant Lc se plaît à souligner constamment la présence de l'Esprit Saint dans la communauté chrétienne, vraie source de sa vie et de son activité. Quand la foule regarde les disciples le jour de la Pentecôte, c'est l'Esprit qu'elle voit et entend (2.33). Lorsqu'on ment à Pierre c'est à l'Esprit qu'on ment, c'est l'Esprit qu'on met à l'épreuve (5.3,9). L'Esprit met à part Paul et Barnabé et les envoie en mission (13.2,4). Plus tard, l'Esprit empêche Paul et Silas «d'annoncer la Parole en Asie» et «d'entrer en Bithynie» (16.6-7). Par la bouche des prophètes chrétiens, c'est encore l'Esprit qui avertit Paul du danger qui le guette lors de sa montée à Jérusalem (20.23;

21.4,11). L'Esprit, enfin, édifie la communauté chrétienne en établissant des gardiens (*episkopoi*), des bergers (20.28). Les croyants n'agissent pas en leur propre nom, de leur propre gré ; ils ont l'impression d'obéir à un.élan qui les dépasse, d'être sous la conduite d'un Autre. C'est avec raison, alors, que les apôtres peuvent écrire aux fidèles d'Antioche cette phrase bouleversante: «L'Esprit Saint et nous-mêmes avons décidé... » (15.28; cf. 5.32).

Si donc la communauté chrétien a cette forte conscience de vivre de l'Esprit Saint qui est aussi «l'Esprit de Jésus» (16.7), c'est qu'elle prolonge en quelque sorte la présence de Jésus sur la terre. Cela, un certain Saul de Tarse, Pharisien acharné contre la nouvelle secte des chrétiens, l'avait compris un jour sur la route de Damas; cette révélation transforma sa propre existence et l'histoire de notre monde. Lc raconte le récit par trois fois, indice de son importance capitale:

> Il faisait route et approchait de Damas, quand soudain une lumière venue du ciel l'enveloppa de sa clarté. Tombant à terre, il entendit une voix qui lui disait: «Saoul, Saoul, pourquoi me persécutes-tu?» «Qui es-tu, Seigneur?» demanda-t-il. Et lui: «Je suis Jésus que tu persécutes.» (9.3-5)

«Je suis Jésus que tu persécutes»: dans la vie des croyants le Ressuscité souffre encore, en eux il poursuit son chemin jusqu'aux extrémités de la terre. Le chemin du Christ se prolonge dans le chemin des chrétiens, il est la Voie sur laquelle ils marchent. Dès lors on comprend pourquoi, pour Lc, appartenir à la communauté chrétienne, c'est «s'adjoindre au Seigneur» (11.24; 5.14).

L'auteur des Actes souligne les similarités entre la vie des chrétiens et la vie de leur Maître. Comme lui, les apôtres enseignent et guérissent des malades. A l'instar de Jésus, qui parlait aux foules et «en particulier...expliquait tout à ses disciples» (Mc 4.34), l'enseignement des apôtres se déroule en deux temps: une proclamation destinée à ceux de l'extérieur transmettant l'essentiel de la Bonne Nouvelle, la vie, la mort et surtout la résurrection de Jésus, accomplissement des Ecritures; et une explication plus approfondie pour les membres de la communauté (2.42; 5.42; 15.32,35). Lc rapporte cette prédication dans de longs discours qui occupent une bonne partie de son livre.

Puis il y a les guérisons. Immédiatement après le récit de la Pentecôte, nous voyons Pierre et Jean au Temple en train de guérir un impotent «au nom de Jésus-Christ le Nazôréen» (3.1-10): cet homme qui était cloué au sol est désormais capable de marcher, voire de courir, sur les routes. D'autres guérisons accomplies par Pierre (9.32-35) puis par Philippe (8.7) sont mentionnées, et même la résurrection d'une femme (9.36-42). Paul, de son côté, guérit (14.8-10; 19.11-12), exorcise un esprit douteux (16.18), ressuscite un mort (20.7-12). Mais tout cela n'est dû en définitive qu'à la présence de Jésus (9.34; 16.18) ou de Dieu (4.30) à l'œuvre dans ses envoyés.

Comme lors du ministère terrestre de Jésus, la présence de la Nouveauté de Dieu en paroles et en actes provoque un mouvement vers elle. C'est le cas des guérisons:

> Par les mains des apôtres il se faisait de nombreux signes et prodiges parmi le peuple...à tel point qu'on allait jusqu'à transporter les malades dans les rues et les déposer là sur des lits et des grabats, afin que tout au moins l'ombre de Pierre, à son passage, couvrît l'un d'eux. La multitude accourait même des villes voisines de Jérusalem, apportant des malades et des gens possédés par des esprits impurs, et tous étaient guéris. (5.12,15-16)

Tel est également le résultat de la prédication des apôtres. Après le discours de Pierre, le jour de la Pentecôte, Lc nous informe qu'«il s'adjoignit ce jour-là environ trois mille âmes» (2.41b). Et par la suite il souligne constamment la croissance de la communauté (2.47; 4.4; 5.14; 11.21 etc.).

L'autre face de cette expansion prodigieuse, signe de la présence de l'Esprit de Dieu, se fait vite sentir: l'opposition venant surtout des responsables du peuple. Les prisons occupent un rôle important dans le récit de la vie des premiers chrétiens, et cela sera vrai dans toutes les époques ultérieures où l'Eglise devra subir des persécutions. Par ces histoires de persécution Lc équilibre le côté «triomphal» du chemin de l'Eglise. S'il est vrai que les premiers chrétiens «avaient la faveur de tout le peuple» (2.47; cf. 4.33b; 5.13), il est non moins vrai que dès le lendemain de la Pentecôte ils connaissent l'hostilité. A la suite de la première guérison accomplie par Pierre et Jean déjà, ils sont mis en prison et convoqués devant le Sanhédrin (ch. 4). Et ce n'est que la première d'une longue série de tracasseries que les croyants auront à subir: emprisonnements (5.18; 8.3; 12.4; 16.23; 21.34), comparutions devant des tribunaux (5.27; 6.12; 17.6; 18.12; 22.30; 24.1; 25.6,23), violence (5.40; 16.22; 18.17; 19.23ss; 21.30s; 23.10), persécutions (8.1; 13.50) et même une exécution (7.55-60). Ainsi les disciples suivent de façon très concrète le chemin de leur Maître, le chemin de la croix.

Et cependant, comme pour leur Maître, l'échec n'est qu'apparent, la malice humaine n'a jamais le dernier mot. Paradoxalement, les persécutions subies contribuent à l'essor de l'Evangile. C'est ainsi qu'à la suite de la mort d'Etienne, une persécution se déchaîne et provoque la dispersion des croyants «dans les campagnes de Judée et de Samarie» (8.1). Et le récit poursuit: «Ceux-là donc qui avaient été dispersés s'en allèrent de lieu en lieu en annonçant la parole de la Bonne Nouvelle» (8.4). La deuxième étape de l'expansion de l'Eglise (cf. 1.8) commence alors. Persécutée, dispersée, la jeune Eglise devient missionnaire.

De même, Lc relie au thème de la persécution la première prédication de la Bonne Nouvelle aux non-juifs, à Antioche, par «ceux-là...qui avaient été dispersés lors de la tribulation survenue à l'occasion d'Etienne» (11.19a). Un peu plus tard, Paul et ses compagnons sont chassés de ville en ville par l'opposition jalouse de certains de ses compatriotes (13.50; 14.5-6,20; 17.5,10,14 etc.) et c'est ainsi que l'évangélisation du monde méditerranéen poursuivra son cours. Paul d'ailleurs se tournera vers les païens chaque fois que les juifs dans les villes qu'il parcourt refusent son message (13.46; 18.6). Le livre des Actes se termine sur cette thèse de son maître Paul si chère à Lc: «C'est aux païens qu'a été envoyé ce salut de Dieu. Eux au moins, ils écouteront» (28.28). Le «faux pas» d'Israël a procuré le salut aux païens (Rm 11.11), montrant par là l'insondable sagesse et l'universelle miséricorde de Dieu (Rm 11.30-36).

Envoi et rassemblement

Le portrait des premiers chrétiens dessiné par les Actes des Apôtres comporte deux aspects principaux. Ensemble ils forment comme la diastole et la systole de la vie de l'Eglise, le battement de son cœur[5].

Le premier aspect est représenté surtout par l'Eglise de Jérusalem rassemblée autour des Douze. Nous avons déjà remarqué comment, dans son récit de la Pentecôte, Lc voit l'accomplissement de toutes les prophéties concernant un rassemblement universel des nations dans la Ville sainte, bien qu'il semble avoir été «en réalité» un événement plus modeste. Et néanmoins, Lc n'a pas tort de considérer l'apparition de l'Eglise chrétienne à la suite de la résurrection du Christ comme ayant une portée eschatologique; les «derniers temps» se manifestent dans l'existence d'une communauté qui réalise au cœur de l'histoire humaine la vie même de Dieu, sa communion sans frontières. C'est cela surtout que Lc veut nous faire saisir dans les célèbres sommaires de la vie des premiers chrétiens:

> Ils se montraient assidus à l'enseignement des apôtres, fidèles à la communion fraternelle, à la fraction du pain et aux prières. La crainte s'emparait de tous les esprits: nombreux étaient les prodiges et signes accomplis par les apôtres. Tous les croyants ensemble mettaient tout en commun; il vendaient leurs proprietés et leurs biens et en partageaient le prix entre tous selon les besoins de chacun. Jour après jour, d'un seul cœur, ils fréquentaient assidûment le Temple et rompaient le pain dans leurs maisons, prenant leur nourriture avec allégresse et simplicité de cœur. Ils louaient Dieu et avaient la faveur de tout le peuple. (2.42-47a; cf. 4.32-35; 5.12-16)

Prière et partage, deux expressions de la communion. Nous serions peut-être tentés de taxer l'auteur de ces lignes d'irréalisme, d'une incapacité de voir les choses telles qu'elles sont. Et pourtant ailleurs, Lc montre sans la moindre hésitation les péchés et les divisions qui entachaient la vie de la communauté même à ses débuts (par ex. 5.1ss; 6.1; 15.39). La véritable signification de ces descriptions «idéales» ne se trouve alors ni dans l'idéalisme ni dans la naïveté humains. Elles sont là pour nous faire comprendre que dans l'existence de la communauté chrétienne, l'Alliance entre Dieu et sa création est définitivement consommée. La possibilité réelle d'une communion en plénitude, d'une réconciliation universelle est désormais présente sur la terre. Cette communion est dès lors présente en germe, la haine et la violence des hommes ne pourront plus empêcher sa réalisation (cf. Mt 16.18; Jn 16.33).

Lc identifie ainsi l'aspect eschatologique de l'Eglise avec la communauté de Jérusalem, et plus généralement avec le thème du *rassemblement*. Nous savons que les chrétiens de Jérusalem étaient les premiers à recevoir le titre eschatologique «les saints» (par ex. Ac 9.13; 1 Co 16.1; cf. Dn 7.18), titre ensuite en usage dans toutes les communautés chrétiennes[6]. Dans l'expression propre à Lc, «les douze apôtres» (Ac 1.26), c'est le titre «les Douze» qui indique bien cette dimension en évoquant le rassemblement de toutes les tribus d'Israël. Chaque fois alors que la communauté se rassemble en un endroit, notamment pour la prière commune, elle préfigure ce rassemblement définitif de toute l'humanité dans le Royaume de Dieu. Elle goûte déjà quelque chose de la joie du ciel sur la terre et devient par là une pôle d'attraction pour les autres[7].

L'Eglise rassemblée dans l'unité, prémices du Royaume: là n'est toutefois'qu'une partie de sa physionomie essentielle. Les Actes nous montrent surtout l'autre aspect de la vie des chrétiens, leur pèlerinage sur les routes. Pour Lc, les Douze sont en même temps des *apôtres*, des envoyés pour porter le message du salut jusqu'aux extrémités de la terre. On ne saurait trop insister sur le fait que l'entrée de l'*eschaton*, l'avenir absolu, au cœur de notre histoire ne signifie en rien une fin automatique, la cessation de toute activité humaine face à la puissance incomparable de Dieu. Cette entrée est au contraire principe dynamique d'expansion, envoi en chemin.

Lc se complaît à montrer cette dimension de la vie chrétienne, l'existence en chemin. Etre sur les routes fait partie de l'identité de l'apôtre. Il emploie cette expression étonnante pour parler de Pierre: «Pierre, qui passait (*dierchomenon*) partout...» (9.32). Plus encore, Paul est un voyageur qui passe (*dieporeuonto*) de ville en ville (16.4; 20.23) pour proclamer la Bonne Nouvelle à tous, mais aussi pour affirmer les Eglises (15.41) par ses visites (15.36). Ainsi les visites entre chrétiens deviennent très tôt pour eux un moyen privilégié d'édifier la communion en se confirmant mutuellement. L'Eglise naissante prend toujours davantage figure d'un tissu de communion qui couvre peu à peu de ses mailles l'ensemble du monde habité.

La trame des Actes des Apôtres est formée essentiellement par l'histoire de cette expansion de la communauté chrétienne. Mus par la présence du Saint-Esprit qui agit souvent à travers des événements apparemment contrariants, les «adeptes de la Voie» (9.2) partent de Jérusalem, parcourent la Judée et la Samarie, passent ensuite en Asie mineure et en Europe pour aboutir enfin à Rome, capitale de l'empire et donc centre du monde habité. Dans la première partie du livre, Pierre est la figure de proue de cette expansion, mais bientôt la relève est prise par Paul, l'ancien Pharisien et persécuteur de l'Eglise devenu missionnaire infatigable surtout auprès des païens (9.15; 22.21; 26.17).

Les difficultés du chemin et les obstacles à surmonter ne sont pas seulement d'ordre matériel et géographique, bien que les rigueurs des voyages, surtout les périls de la mer, occupent une place non négligeable dans le récit (par ex. ch. 27; cf. 2 Co 11.26). La question centrale du livre concerne plutôt l'élargissement de l'offre du salut à des non-juifs sans exiger d'eux comme condition préalable qu'ils embrassent la Torah et se fassent juifs. Cela n'allait nullement de soi pour les premiers chrétiens, vu qu'ils n'avaient point conscience d'avoir embrassé une nouvelle religion. Un des soucis majeurs de Lc est de nous montrer comment Dieu a peu à peu conduit les disciples à voir clair dans ce domaine.

Les Actes nous montrent pas à pas cet élargissement de la communauté chrétienne, la diversité toujours plus grande de ses membres. Les apôtres sont tous des juifs de Palestine, et si le jour de la Pentecôte une certaine universalité est comme préfigurée par toutes les langues et les pays mentionnés, Lc précise bien qu'il s'agit en fait des juifs demeurant à Jérusalem (2.5,11). Ensuite nous entendons parler d'Hébreux et d'Hellénistes (6.1); la communauté embrasse alors des juifs d'origine palestinienne et de langue sémitique ainsi que ceux de culture grecque. La prochaine étape suit la mort d'Etienne avec la proclamation par Philippe de la Bonne Nouvelle aux Samaritains, «cousins» des juifs (8.4-8). Après cela Lc situe le récit du baptême de l'eunuque éthiopien (8.26-40). Cette histoire est vraiment à sa place parce qu'il est impossible de trancher avec certitude si ce fonctionnaire royal est un converti juif ou non; en tout cas c'est un homme très différent des autres croyants de par ses origines, indication de la diversité croissante parmi les chrétiens[8].

Cependant, le grand tournant du livre est encore à venir: l'élargissement de la communauté aux païens. Ceci nous est raconté dans le chapitre 10: à la suite d'une vision et des preuves manifestes de la présence de l'Esprit Saint, Pierre baptise Corneille, un centurion romain, ainsi que ses parents et amis. Il a désormais compris que «Dieu ne fait pas acception des personnes, mais qu'en toute nation celui qui le craint et pratique la justice lui est agréable» (10.34-35). Pierre doit alors justifier sa conduite et apaiser les craintes de la communauté de Jérusalem (11.1-18), mais l'étape essentielle a été franchie: les «Grecs» (11.20) sont admis parmi les frères sans que la circoncision soit exigée d'eux préalablement. Nous voilà enfin vraiment dans «le dernier temps» prédit par les prophètes, où le salut est ouvert à toutes les nations. La controverse rejaillira plus tard à cause d'un différend à Antioche, et «les apôtres et les anciens» à Jérusalem examineront plus à fond la question (ch. 15). Ils aboutiront cependant au même résultat, écrivant une lettre aux frères d'Antioche pour communiquer ce que «l'Esprit Saint et nous-mêmes avons décidé» (15.28). Il ne s'agit pas d'une tentative de mettre la main sur Dieu mais bien d'un discernement de ce qu'il est en train d'opérer dans le monde à travers des événements historiques (cf. 10.47; 11.17; 15.8).

La route vers les païens ainsi ouverte, le centre d'intérêt du livre se déplace de Pierre et de l'Eglise de Jérusalem vers Paul et ses voyages missionnaires en Asie et Europe. Arrivé dans une ville, Paul commence toujours par proclamer l'évangile dans la synagogue, mais face au refus des juifs il se tourne vers les païens. Ainsi sont sauvegardés et la priorité accordée au peuple élu et le nouvel universalisme, fruit de la Pentecôte. A la fin de ses missions, «Paul forma le projet de traverser la Macédoine et l'Achaïe pour gagner Jérusalem» (19.21). C'est l'occasion pour Lc de montrer une fois encore la parallèle entre le chemin du Christ et celui du chrétien. Comme celle de son Seigneur, la montée de Paul à la Ville sainte est présentée comme un chemin vers la souffrance et la mort:

> Et maintenant voici qu'enchaîné par l'Esprit, je me rends à Jérusalem, sans savoir ce qui m'y adviendra, sinon que, de ville en ville, l'Esprit Saint m'avertit que chaînes et tribulations m'attendent. (20.22-23)

Il y a même une prophétie sur son sort qui sonne comme un écho des prophéties de la passion de Jésus (21.11; cf. Lc 18.32). Pour sa part Paul est préparé: «Je suis prêt, moi, non seulement à me laisser lier, mais encore à mourir à Jérusalem pour le nom du Seigneur Jésus» (21.13).

Paul ne meurt pas à Jérusalem, mais sa présence provoque des émeutes et mène à son arrestation par le pouvoir romain. S'ensuivent plusieurs tentatives de se disculper, devant le Sanhédrin (23.1-10), devant le gouverneur Félix (ch. 24), devant le roi Agrippa (ch. 26). Selon les paroles prophétiques de Jésus, Paul a ainsi l'occasion de témoigner «devant des rois et des gouverneurs» (Lc 21.12-13) pour le Nom de Jésus. En appelant enfin à César, Paul est conduit dans les chaînes vers la ville de Rome. Le récit se termine par son séjour dans cette ville, on le voit en train de «proclamer le Royaume de Dieu et enseigner ce qui concerne le Seigneur Jésus Christ avec pleine assurance et sans obstacle» (28.31). Les croyants continueront à marcher sur la Voie du Seigneur: de Rome, centre du «monde habité», auront lieu de nouveaux départs en mission, mais pour Lc l'essentiel a été dit. Le chemin du Ressuscité, passant par «bien des tribulations» (14.22) mais toujours soutenu par la force du Saint-Esprit (1.8a), a été frayé jusqu'aux extrémités de la terre (1.8b). L'exécution d'un condamné dans une obscure et lointaine province de l'empire romain a libéré une puissance de communion qui a «révolutionné le monde entier» (cf. 17.6).

POUR LA RÉFLEXION

1. L'annonce de la résurrection de Jésus et les rencontres avec le Ressuscité racontées à la fin des évangiles sont davantage un commencement qu'un terme. A cet égard, comment comprendre Mc 16.1-8? L'évangéliste aurait-il vraiment pu terminer son livre de cette façon? Pourquoi ou pourquoi pas?

2. Dans les récits autour de la résurrection, nous pouvons distinguer deux mouvements: l'un, centripète, se dirige vers la communauté des croyants, l'autre, centrifuge, va vers l'extérieur. Donner des exemples de ces deux mouvements. Quelle est leur signification pour le chemin du chrétien? Pouvons-nous déceler quelque chose de semblable dans la vie des premiers chrétiens racontée dans les Actes des Apôtres?

3. Pourquoi Luc a-t-il écrit un second livre, les Actes des Apôtres, pour compléter son évangile? Les autres évangélistes auraient-ils dû faire de même?

4. Dans le livre des Actes, la vie chrétienne s'appelle «la Voie» (Ac 9.2; 18.26; 19.9,23 etc.). Quelle est l'importance de ce terme? En quoi le portrait de l'Eglise à ses débuts, donné par les Actes, peut-il nous aider à comprendre et à vivre notre foi aujourd'hui?

NOTES DU CHAPITRE V

1. Voir Jacques DUPONT, «La portée christologique de l'évangélisation des nations,» *Nouvelles études sur les Actes des Apôtres* (Lectio divina, 118), Cerf, 1984, p. 37-57.

2. Cf. p. 18-19.

3. *Une lecture des Actes des Apôtres* (Cahiers évangile, 21), Cerf, 1977, p. 19.

4. Cf. le refrain des Actes: «la Parole du Seigneur croissait» (6.7; 12.24; 19.20).

5. Ici je me suis laissé inspirer par les remarques du théologien orthodoxe Jean ZIZIOULAS sur «Les deux approches, "historique" et "eschatologique", de la continuité de l'Eglise avec les Apôtres,» dans son article «La continuité avec les origines apostoliques dans la conscience théologique des Eglises orthodoxes,» dans *L'Etre ecclésial* (coll. Perspective orthodoxe), Labor et Fides, 1981, p. 137ss.

6. Cf. BJ, note *f* sur Ac 9.13, p. 1584.

7. Ce sont surtout les Eglises d'Orient qui nous rendent attentifs à cette dimension eschatologique de l'Eglise, prémices du Royaume déjà présent sur la terre, notamment lors de la célébration de la sainte liturgie. Ceci explique aussi l'attention que les chrétiens orthodoxes ont toujours porté à la Résurrection du Christ, correctif valable de la vision plus historique et centrée sur la Croix des chrétiens occidentaux. Cf. ZIZIOULAS, p. 136, 145-146.

8. Cf. Ernst HÆNCHEN, *Die Apostelgeschichte* (Meyers Kommentar über das Neue Testament), Göttingen: Vandenhœck & Ruprecht, 1956, p. 271-272.

VI

Paul :

Saisis par le Christ

L'affirmation que la foi chrétienne est un chemin, un pèlerinage accompli par le Christ ressuscité au sein de l'histoire humaine, se trouve confirmée par le simple fait que la dernière moitié du Nouveau Testament est composée essentiellement de lettres écrites à des communautés chrétiennes en voie de formation. Si les premiers livres du Nouveau Testament racontent la vie d'un homme en qui le chemin de Dieu devient manifeste, dans les écrits suivants ce chemin prend la forme d'un réseau de communion entre les villes du monde méditerranéen. Si même une certaine systématisation en vue d'enseigner se manifeste parfois, la raison d'être des lettres apostoliques est avant tout actuelle et existentielle. Plutôt que de transmettre une sagesse codifiée (une «loi») ou des théories sur le monde divin et sur la vie spirituelle, elles veulent tisser et maintenir des liens de foi, d'espérance et d'amour entre des hommes et des femmes dont la vie a été transformée par la venue du Christ. C'est cette finalité qu'il importe de garder présente à l'esprit avant d'en aborder le contenu.

La plupart des épîtres du Nouveau Testament sont attribuées à saint Paul. Elles sont le reflet du travail infatigable de cet apôtre de la dernière heure (cf. 1 Co 15.8) pour porter la Bonne Nouvelle de Jésus-Christ au vaste monde des non-juifs, «aux Grecs comme aux barbares, aux savants comme aux ignorants» (Rm 1.14). A la suite de son passage dans une ville, Paul se sent toujours responsable de la vie de la communauté qu'il y a établie. «Le souci de toutes les Eglises» est son obsession quotidienne (2 Co 11.28), et l'échange des lettres est un des moyens de pallier à l'absence physique. Que ces lettres aient été ensuite recueillies dans le canon des Ecritures chrétiennes prouve que leur signification déborde la situation particulière des communautés auxquelles elles furent adressées et qu'elles recèlent une importance permanente pour les croyants. Par delà toutes les mutations de société et de culture nous sommes aujourd'hui sur le même chemin, nous participons à la même communion qui a réuni des femmes et des hommes dans les villes du bassin méditerranéen voici deux mille ans.

Enfantés à une Vie nouvelle

Les premiers écrits en date du Nouveau Testament sont les deux lettres écrites par Paul aux THESSALONICIENS vers l'an 51, peu de temps après son activité d'évangélisation dans cette ville (cf. Ac 17.1-10)[1]. Elles sont parmi les plus personnelles, les moins systématiques des lettres de Paul. Leur grand intérêt réside dans le fait qu'elles explicitent la voie chrétienne de manière presque «naïve». La foi n'a pas encore trouvé son vocabulaire consacré, ses doctrines clairement définies. On y découvre alors l'essentiel de la réalité chrétienne comme à l'état brut, on peut relever des germes qui vont être développés par Paul et par d'autres pour les années et les siècles à venir.

En écrivant aux fidèles de Thessalonique, Paul éprouve le besoin de leur rappeler longuement les origines de leur foi. Comme dans les Ecritures hebraïques et dans les évangiles, les événements historiques en tant que tels sont porteurs de sens. Ce qu'on appellera plus tard le christianisme n'est pas une philosophie, une théorie ou une idéologie, mais la transmission d'une Vie. Il est une manière de vivre, un cheminement (1 Th 2.12; 4.1,12 *peripatein*).

Cette Vie a été transmise aux Thessaloniciens par Paul, l'apôtre est venu chez eux leur annoncer «l'Evangile de Dieu» (1 Th 1.5;

148

2.1-12). La Bonne Nouvelle n'est pas seulement une affaire de mots, d'idées sur Dieu: pour Paul c'est en même temps le don de sa propre vie (1 Th 2.8). Et lors de la transmission du message, la puissance de l'Esprit Saint s'est manifestée aux auditeurs (1 Th 1.5). Ils ont alors compris qu'il s'agissait en fait non de paroles humaines mais de la Parole même de Dieu (1 Th 2.13), ils ont compris que Dieu les a choisis et leur a fait don de son amour (1 Th 1.4; 2 Th 2.13). En accueillant la Parole (1 Th 1.6), les Thessaloniciens ont commencé à mener une vie de foi, d'amour et d'espérance (1 Th 1.3). C'était fondamentalement l'œuvre en eux du Dieu fidèle, et Paul sait que Dieu le mènera à bonne fin (2 Th 1.11; 1 Th 5.24).

Puisqu'il s'agit de l'enfantement d'une vie nouvelle en eux, Paul peut se comparer à un père (1 Th 2.11; cf. 1 Co 4.15) et même à une mère (1 Th 2.7; cf. 2 Co 6.13; 12.14; Ga 4.19). Et tout comme dans les relations entre parents et enfants biologiques, *l'imitation* y joue un rôle primordial. Au-delà de toute explication intellectuelle, on entre dans une vie en regardant vivre les autres et en agissant en conséquence. Paul se propose consciemment aux nouveaux croyants comme un modèle à imiter (2 Th 3.7,9) et il a cette phrase étonnante: «Et vous vous êtes mis à nous imiter, nous et le Seigneur» (1 Th 1.6; cf. 1 Co 11.1). Ce que l'on suit en Paul, ce n'est pas un comportement humain quelconque mais le chemin du Christ, et notamment le mystère pascal, la joie de Dieu au milieu des tribulations[2].

De même, les Thessaloniciens imitent «les Eglises de Dieu dans le Christ Jésus qui sont en Judée» (1 Th 2.14) et à leur tour ils deviennent un modèle pour les autres (1 Th 1.7). L'émulation mutuelle sert de règle de vie pour les croyants. Il y a certes des traditions transmises par Paul qu'il importe de garder (2 Th 2.15), l'apôtre donne des instructions de la part du Seigneur Jésus lui-même (1 Th 4.1-2). C'est cependant la présence de l'Esprit du Ressuscité dans la vie de la communauté et non un code de lois extérieur qui fournit le critère essentiel pour juger de la vie du croyant (cf. 1 Th 4.8-9). En approfondissant la communion avec le Seigneur et entre eux, les chrétiens réalisent toujours mieux leur propre identité.

Outre l'imitation et l'édification mutuelle, Paul connaît d'autres expressions de cette communion. En premier lieu il y a la *prière*. L'apôtre porte «sans cesse» ses ouailles dans sa prière, il offre pour eux une continuelle action de grâces (1 Th 1.2; 2.13; 3.9; 2 Th 1.3; 2.13) et à son tour il demande leurs prières pour son ministère (1 Th 5.25; 2 Th 3.1). Ensuite il y a le *réconfort* ou l'encouragement mutuel, ce que nous pouvons appeler le visage humain de la vie de l'Eglise. En échangeant des nouvelles, en se visitant mutuellement, en voyant les visages des êtres aimés (cf. 1 Th 2.17), des liens d'affection s'affermissent entre les croyants. La création et la consolidation de tels liens ne sont nullement un aspect secondaire ou facultatif de la vie de l'Eglise mais bien l'expression de son essence. Si une grande partie des lettres de Paul regardent des questions de relations humaines, c'est parce qu'il voit, au-delà des cas particuliers, qu'il y va de l'essentiel de sa mission, l'établissement d'une communion fraternelle. Il s'agit de concrétiser l'amour de Dieu dans un tissu social.

Ainsi l'apôtre, rempli d'un «vif désir» de revoir les Thessaloniciens et empêché de s'y rendre, finit par y envoyer son collaborateur Timothée (1 Th 2.17ss). Timothée affermit et encourage les fidèles en butte à des épreuves, et les bonnes nouvelles qu'il rapporte à Paul sont également une consolation pour celui-ci au milieu de ses propres difficultés. Car l'existence des croyants en ce monde ne va jamais sans tribulations et souffrances (1 Th 2.14; 3.4; 2 Th 1.4-5), c'est un combat (1 Th 5.8), aussi le réconfort et l'édification mutuels sont-ils essentiels pour tenir (1 Th 5.11). L'attention mutuelle est l'un des moyens par lesquels Dieu lui-même console et affermit les siens (2 Th 2.16-17; cf. 2 Co 1.3-7).

Cette Vie nouvelle transmise par Paul dans son ministère d'évangélisation est donc essentiellement une vie de communauté. Avant tout un don de Dieu, cette Vie doit néanmoins conduire ceux qui l'accueillent à des choix précis, à un cheminement ou style de vie. Paul a ainsi l'habitude de donner, à la fin de ses lettres, des conseils pour le comportement des fidèles. Après avoir évoqué le don qui leur a été fait, il exhorte les croyants à continuer à vivre en conséquence. Il s'agit de «marcher d'une manière digne de Dieu qui vous a appelés à son Royaume et à sa gloire...vous avez appris de nous comment il vous faut marcher pour plaire à Dieu, et c'est ainsi que vous marchez; faites-y des progrès encore...marchez honorablement au regard de ceux du dehors...» (1 Th 2.12; 4.1,12). Les chrétiens doivent devenir toujours davantage ce qu'ils sont au plus profond de leur être, leur vie concrète doit correspondre toujours plus à leur identité, fruit d'un don.

Comment s'étonner, alors, que les instructions données par Paul concernent avant tout la vie commune? L'apôtre exhorte les Thessaloniciens à vivre ensemble dans la paix et dans l'amour (1 Th 5.13b-15), avec un égard particulier pour les animateurs de la communauté (1 Th 5.12-13a) et un souci que chacun remplisse le rôle qui lui est échu (2 Th 3.6-15). Les fidèles doivent vivre dans la joie et la prière (1 Th 5.16-18), éveillés et lucides (1 Th 5.6), attentifs à discerner et à stimuler les dons dont l'Esprit les comble (1 Th 5.19-21). La présence de l'Esprit en eux est une source de sainteté, un appel à laisser se transfigurer les passions désordonnées dans la force sereine de l'amour (1 Th 4.3-12).

Si, en tant que don, la foi chrétienne pourrait être vue — à tort — comme une réalité statique, accordée une fois pour toutes et n'admettant aucune évolution, il importe de se rappeler que ce don est celui d'une Vie, d'une Voie. La foi est le principe dynamique d'une fécondité sans bornes. Les chrétiens sont des êtres en route qui cheminent à l'instar de leur Maître Jésus; une croissance perpétuelle est bien la loi de leur existence. Paul pour sa part est extrêmement attentif à cette dimension de croissance, de progression dans la foi. Il en signale la source: la Parole de Dieu en travail permanent dans la vie des croyants (1 Th 2.13), Parole qui doit «poursuivre sa course» (2 Th 3.1). Ainsi il peut les exhorter à avancer sur la voie: «faites-y des progrès encore...nous vous engageons, frères, à faire encore des progrès» (1 Th 4.1b,10b). Il écrit aux Thessaloniciens que «votre foi est en grand progrès» et que «l'amour de chacun pour les autres s'accroît parmi vous tous» (2 Th 1.3b). Et il prie «que le Seigneur dirige vos cœurs vers l'amour de Dieu et la constance du Christ...que le Seigneur vous fasse croître et abonder dans l'amour que vous avez les uns envers les autres et envers tous»

(2 Th 3.5; 1 Th 3.12). Dans la vie chrétienne, la progression est essentiellement une croissance dans l'amour, son approfondissement et son élargissement perpétuels.

Dans l'esprit de Paul, cette progression connaît-elle un terme? Pouvons-nous préciser l'horizon ultime de sa vision? Nous avons là, formulée autrement, la question de l'eschatologie chrétienne, un sujet extrêmement complexe et controversé, surtout lorsqu'il s'agit d'en identifier les étapes dans l'histoire de l'Eglise[3]. Si, en Jésus-Christ, et avant tout dans sa résurrection d'entre les morts, l'attente eschatologique du peuple de Dieu a trouvé sa réponse, comment tenir compte du fait évident que l'histoire poursuive sa course sans bouleversement extérieur? Comment décrire le lendemain — et le surlendemain — du dernier jour?

Les lettres aux Thessaloniciens, à cause de leur ancienneté, présentent pour cette question un intérêt manifeste quoique pas toujours facile à interpréter. Dans ces lettres le souci eschatologique est très accusé, et Paul l'exprime toujours dans des catégories de pensée juives: les fidèles vivent dans l'attente du «Jour du Seigneur» qui «arrivera comme un voleur en pleine nuit» (1 Th 5.2). Ce Jour est, pour Paul comme pour l'ensemble de la tradition apocalyptique juive, le temps où les malfaiteurs endurcis connaîtront «la colère de Dieu», terme technique pour indiquer la passion de son amour qui ne saura tolérer le mal (2 Th 1.7-9). Mais ce Jour est surtout le moment où «le Seigneur Jésus» viendra pour porter aux siens la délivrance définitive (1 Th 1.10; 2 Th 1.7; cf. 1 Th 5.9). Ce n'est donc pas pour les croyants un événement à craindre: au contraire, l'apôtre parle de la «Parousie» ou «Avènement» du Christ comme d'une réalité ardemment attendue et désirée, le terme qui donne sens et consistance à tout ce qui le précède (1 Th 2.19; 3.13; 5.23; 2 Th 1.10; 2.14). Paul doit même consoler les Thessaloniciens en leur expliquant que lors de la Parousie ceux qui sont déjà morts ne seront pas délaissés mais ressusciteront pour rencontrer le Seigneur ensemble avec les vivants (1 Th 4.13-18). Ici l'apôtre semble envisager cet événement comme relativement proche. Néanmoins nul n'en sait l'heure exacte (1 Th 5.1-2) et il serait erroné de penser que le Jour est déjà là (2 Th 2.1-12). Une attitude de persévérance est requise pour vivre la foi dans un monde hostile ou indifférent, il faut «tenir bon dans le Seigneur» (1 Th 3.8; 2 Th 2.15).

Il semblerait alors à premier abord que pour Paul l'attente reste inassouvie, que la venue de Jésus-Christ parmi nous, sa mort et sa résurrection, ne sont pas le dernier mot que Dieu a à dire. Cependant, à y regarder de plus près nous serons amenés à modifier ce jugement. Le chapitre 5 de 1 Th est capital à cet égard. Après avoir expliqué l'enseignement traditionnel sur l'imprévisibilité du Jour, Paul poursuit de la façon suivante:

> Mais vous, frères, vous n'êtes pas dans les ténèbres, de telle sorte que ce Jour vous surprenne comme un voleur: tous vous êtes des fils de la lumière, des fils du Jour. Nous ne sommes pas de la nuit, des ténèbres. Alors ne nous endormons pas, comme font les autres, mais restons éveillés et sobres. (1 Th 5.4-6)

La tournure «les fils du Jour» est un hébraïsme, l'expression indique que les chrétiens appartiennent d'ores et déjà au Jour, que dès à présent ils marchent dans sa lumière et qu'en conséquence sa venue ne pourra pas les dérouter (1 Th 5.4). Autrement dit, le Jour à venir est déjà là dans la vie des fidèles animés par l'Esprit, à cause de leur accueil de l'Evangile prêché par Paul, à cause de leur communion avec le Christ mort et ressuscité. Ainsi, même à ce stade de la tradition, les réalités dernières ne sont pas uniquement futures, depuis la première rencontre avec le Christ ressuscité elles sont actuelles et accessibles aux croyants.

Tout se passe comme si, pour Paul, l'Evénement de Jésus-Christ, la réalité définitive, eschatologique, est une réalité complexe qui l'entoure de toutes parts. Cet Evénement appartient au passé en tant qu'identique avec la vie, la mort et la résurrection de Jésus, homme parmi les hommes. Il est tout autant une réalité présente dans l'œuvre d'évangélisation, dans la présence du Ressuscité qui crée par sa Parole et par son Esprit la communauté chrétienne. Il appartient, enfin, à l'avenir en tant que Jour du Seigneur qui marque la fin du déroulement de l'histoire. Dans 1-2 Th l'aspect futur de l'Evénement prend un peu plus de place par rapport au présent dans la réflexion de l'apôtre que dans certaines de ses lettres postérieures, néanmoins il ne s'agit que d'accents différents, la réalité sous-jacente en est la même. La communauté des croyants enracine son existence en Jésus, mort pour nous (1 Th 5.10) et ressuscité (1 Th 1.10); elle est maintenant «dans le Seigneur Jésus Christ» (1 Th 1.1; cf. 4.16; 5.12,18; 2 Th 1.1) et imite son comportement (1 Th 1.6); elle vit, enfin, dans l'espérance (1 Th 4.13), dans l'attente de sa Venue définitive (1 Th 1.10) pour être toujours avec lui (1 Th 4.17). Le grand Jour, quand sera pleinement manifestée la signification de la vie du Christ (sa «gloire»), est déjà présent dans la vie des fidèles qui marchent sur sa voie, tout comme il l'était dans l'existence terrestre de Jésus de Nazareth. Nous ne sommes pas ici dans la logique linéaire du chronomètre ou du calendrier. En Jésus le Jour du Seigneur se fait proche, il vient à notre rencontre, et dès à présent nous marchons à sa lumière.

Des relations de communion

Dans ses lettres «de maturité» écrites vers la fin des années 50 (PHILIPPIENS, 1-2 CORINTHIENS, GALATES, ROMAINS), Paul reprend et développe les thèmes que nous venons de déceler. D'abord, en ce qui concerne la transmission d'une Vie nouvelle, la relation entre l'apôtre et le Christ d'une part, et entre l'apôtre et les communautés auxquelles il écrit de l'autre.

En premier lieu, Paul souligne constamment la relation personnelle qui l'unit au Christ et à Dieu, fondement de son activité missionnaire. Même s'il n'a jamais rencontré personnellement Jésus sur la terre, le Ressuscité a fait irruption dans sa vie (1 Co 15.8), le mettant à part puis l'appelant et l'envoyant sur les routes (Ga 1.15ss; Rm 15.16ss). Par conséquent il se présente habituellement au début de ses lettres comme «appelé à être apôtre» (1 Co 1.1; Rm 1.1), et il tient beaucoup à ce titre d'apôtre parce qu'il y va de l'authenticité de l'Evangile qu'il proclame (cf. Ga 2.5). Dans certaines lettres, notamment l'épître aux Galates, il verse beaucoup d'encre pour justifier son ministère face aux attaques des adversaires, à tel point qu'on a pu le soupçonner de s'exalter lui-même aux dépens de la communauté de Jérusalem et des Douze. Toutefois, une lecture plus attentive montre que pour Paul la communion avec les autres apôtres et «les saints» de Jérusalem est essentielle (par ex. Ga 1.18; 2.9; Rm 15.25ss), et il sait bien qu'il est, lui, «le moindre des apôtres» (1 Co 15.9). S'il semble mettre en avant sa propre personne, c'est pour mieux souligner la gratuité et la générosité divines, cœur de son message (1 Co 15.10; 2 Co 12.7ss; Ph 3.4ss).

Aussi Paul se décrit-il comme un envoyé de Dieu (Ga 1.1); le message qu'il porte, il l'a reçu directement du Christ (Ga 1.12). Dans sa faiblesse humaine se manifeste la puissance de l'Esprit Saint qui transforme les cœurs de ses auditeurs (1 Co 2.3-5; Rm 15.19; cf. 1 Co 4.19s; Ga 3.2-5). Paul frappe toute une série d'expressions pour décrire, par analogie, l'identité de l'apôtre. Ils sont des assistants du Christ et des intendants («économes») des mystères de Dieu (1 Co 4.1), des serviteurs de Dieu (2 Co 6.4) ou du Christ (2 Co 11.23), des esclaves du Christ (Ga 1.10; Ph 1.1) voire des esclaves des chrétiens à cause de Jésus (2 Co 4.5), des ambassadeurs du Christ (2 Co 5.20), des collaborateurs de Dieu (1 Co 3.9). Paul est un officiant du Christ Jésus et un ministre de l'Evangile (Rm 15.16), il est un imitateur du Christ (1 Co 11.1). Une constante traverse ces titres pris des champs d'activité les plus variés: tous ils expriment le fait que l'apôtre n'agit pas en son propre nom mais vient à la place d'un autre. Comme tout chrétien et de manière exemplaire, Paul sait qu'il ne s'appartient pas (Rm 14.7-8), en son humanité le Christ poursuit son œuvre (Ga 2.20). Certes, humainement parlant il travaille avec acharnement pour porter la Bonne Nouvelle aux païens (par ex. 2 Co 11.23ss) mais à un niveau plus profond c'est Dieu qui agit par lui: Paul plante, mais Dieu donne la croissance; il pose le fondement, mais la maison est celle de Dieu (1 Co 3.6-10).

Ainsi, quand l'apôtre vient dans une ville pour y porter l'Evangile, c'est en fait Dieu, ou encore le Christ, qui vient pour appeler à la sainteté (1 Co 1.2; Rm 1.7), à la communion avec lui (1 Co 1.9). Concrètement, cette communication passe par l'annonce et l'écoute du message (Rm 10.8,14ss; 1 Co 15.1-2; Ga 1.11; Ph 1.14), avant tout celui du mystère pascal (1 Co 1.17s; 2.1s), mais tout autant par le partage d'une vie, par l'imitation qui est davantage un processus d'accueil confiant et d'osmose qu'un mimétisme superficiel. Si Paul a reçu l'Esprit de Dieu (1 Co 2.12) et possède par conséquent la façon de penser (*nous*) du Christ (1 Co 2.16), alors il peut s'offrir à ses frères comme un exemple à imiter (1 Co 4.6,16; Ph 3.17; 4.9; cf. 1.30; Ga 4.12). En suivant de l'intérieur son comportement, c'est en fait le Christ qu'ils imitent (1 Co 11.1), lui qui est, en sa personne, la règle de vie pour les croyants (Ph 2.5; Rm 15.1-3).

La transmission de l'Evangile, par la parole et par la vie, crée de nouvelles relations de solidarité entre l'apôtre et ceux qu'il évangélise. Paul exprime cette relation de plusieurs façons. Les Corinthiens, par exemple, sont son œuvre, le sceau de son apostolat (1 Co 9.1-2), une lettre du Christ écrite par ses soins (2 Co 3.2-3). Ils sont une source de fierté et de confiance mutuelles (2 Co 1.14; cf. Ph 2.16; 1 Th 2.19). Ecrivant aux Philippiens, Paul emploie un mot difficile à traduire: les fidèles sont «co-participants» (*synkoinonous*) de sa grâce (Ph 1.7), de ses épreuves (Ph 4.14). Une même communion de vie les unit dans la souffrance et dans la joie.

Ailleurs, Paul a recours à l'image de la famille pour exprimer ces relations. Il est le père qui a engendré les fidèles dans le Christ Jésus (1 Co 4.15), voire la mère qui les a enfantés dans la douleur (Ga 4.19). Ils sont ses enfants (2 Co 6.13; 12.14). De même, son collaborateur Timothée est comme un fils pour lui (Ph 2.22). Bref, entre l'apôtre et les croyants se nouent de profonds liens d'amour, un amour dont le fond n'est pas seulement humain: «Je vous porte en mon cœur... je vous aime tous tendrement dans les entrailles du Christ Jésus!» (Ph 1.7-8).

Dans notre monde contemporain marqué par des siècles d'individualisme et de subjectivisme, où la banalisation et le romantisation de l'amour est monnaie courante, il est facile de méconnaître la portée de telles affirmations. Lorsque Paul parle de l'amour entre lui et les membres de telle communauté, c'est tout autre chose que des épanchements sentimentaux ou de belles phrases en l'air. Il exprime par là sa certitude que le fruit principal de l'Evangile est la création de nouvelles relations humaines, comparables en solidité et en importance à celles qui unissent les membres d'une seule famille. Quand l'apôtre dit qu'il porte les fidèles dans son cœur (Ph 1.7), il affirme qu'entre lui et ses frères et sœurs dans le Christ existe une unité pareille à celle entre lui et le Christ ressuscité, relation si profonde qu'il a pu écrire que le Christ vit en lui (Ga 2.20; Ph 1.21). Rentrant en lui-même, il y découvre et le Christ et tous ceux que le Christ lui a confié. Et cette communion, bien qu'elle imprime sa marque sur sa subjectivité, n'est point une réalité purement subjective. Sa source est dans la mort et la résurrection du Fils de Dieu, dans son don de l'Esprit Saint plutôt que dans les sentiments ou désirs humains.

Dès lors, il n'est pas étonnant que les instructions concernant la vie commune tiennent une si grande place dans les lettres de Paul, au point que la division (1 Co 1.10ss) et le refus de partager (1 Co 11.17ss) apparaissent comme le plus grand des maux. L'unité née de la vraie humilité est par contre la meilleure façon d'imiter le Christ (Ph 2.1ss). Si pour Paul la source de la communion chrétienne est intérieure, à savoir la relation de foi qui unit le fidèle au Christ, cette communion doit pourtant s'épanouir, elle s'exprime jusque dans un partage matériel. L'apôtre en effet se dépense pour organiser une collecte afin de secourir les chrétiens de Jérusalem qui sont dans le besoin (1 Co 16.1ss; 2 Co 8-9; Rm 15.25ss). Ce geste n'est pas aux yeux de Paul quelque chose d'accessoire mais bien une expression de l'amour mutuel entre les Eglises, enraciné dans le partage de vie entre le Christ et les chrétiens (2 Co 8.9; cf. Rm 15.7). De même, à l'intérieur de chaque Eglise l'entraide doit s'exercer: les plus solides dans la foi ont une responsabilité particulière envers leurs frères et sœurs moins assurés (Rm 14-15). Les visites entre chrétiens, en commençant par celles de Paul lui-même, constamment sur les routes, sont un autre moyen important pour créer la communion.

Aux yeux de Paul, la communion n'est pas à confondre avec une uniformité stérile; elle peut et doit cœxister avec une grande diversité, parce qu'elle prend ses racines non pas dans une obéissance aveugle ou dans un conformisme tout extérieur mais dans l'appel personnel du Christ qui valorise les dons de chaque membre. Pour exprimer cette diversité dans l'unité, l'apôtre recourt à l'image du corps humain avec ses différents membres (1 Co 12; Rm 12.4ss). Sous sa plume, cependant, l'image acquiert un réalisme dont la profondeur dépasse de loin une simple analogie traditionnelle:

> De même, en effet, que le corps est un, tout en ayant plusieurs membres, et que tous les membres du corps, en dépit de leur pluralité, ne forment qu'un seul corps, ainsi en est-il du Christ. (1 Co 12.12)

Au lieu de la conclusion escomptée, «ainsi en est-il de l'Eglise» ou «...de notre communauté», Paul nous surprend par ces mots lourds de signification: «ainsi en est-il du Christ». Depuis le commencement de sa propre vocation, en effet, Paul est habité par la certitude que dans la vie de la communauté chrétienne le Ressuscité demeure présent et agissant (cf. Ac 9.4s; 22.7s; 26.14s). Or, pour le Sémite, le corps n'est pas en premier lieu, comme pour nous, la substance matérielle de l'être humain. Il n'indique pas notre appartenance à un monde menacé par la fragilité et la mort («la chair») mais bien la *présence* de quelqu'un aux autres: c'est un terme relationnel[4]. Dire que nous sommes le Corps du Christ, c'est affirmer d'une autre façon encore que la communauté des croyants, animée par l'Esprit de Dieu (1 Co 12.11,13), est le prolongement concret dans l'histoire de l'existence du Christ Jésus. Pourvu que la communion subsiste, la diversité ne saurait nuire à cette vocation mais bien au contraire elle la favorise, en rendant le Christ présent d'une multiplicité de manières. Si, par contre, l'identité spécifique de chaque membre ou groupe devenait un prétexte pour se couper de l'ensemble du Corps (1 Co 12.15ss), l'essentiel de la voie chrétienne se trouverait vite obscurci. «Le Christ est-il divisé?» (1 Co 1.13a).

Une voie plus excellente

Les grandes lettres de saint Paul nous offre avant tout un approfondissement de la voie chrétienne, de la manière d'aller de l'avant dans une communion avec Dieu par son Christ. Dans les lettres aux Thessaloniciens déjà, nous avons constaté l'importance accordée à la dimension de progrès dans la foi. Ecrivant aux Philippiens quelques années plus tard, Paul décrit ce progrès comme nécessitant un effort humain, certes, mais plus encore comme une activité accomplie par Dieu en l'être humain. S'il les exhorte: «travaillez avec crainte et tremblement à accomplir votre salut» (Ph 2.12), il ajoute aussitôt: «aussi bien, Dieu est là qui opère en vous à la fois le vouloir et l'opération même, au profit de ses bienveillants desseins» (Ph 2.13). L'apôtre prie pour leur croissance continuelle dans l'amour (Ph 1.9), et il a la certitude que «Celui qui a commencé en vous cette œuvre excellente en poursuivra l'accomplissement jusqu'au Jour du Christ Jésus» (Ph 1.6).

De même, aux Corinthiens Paul parle d'un renouvellement intérieur quotidien (2 Co 4.16) et, dans une phrase remarquable, il relie les deux dimensions de croissance humaine et d'activité divine dans le chrétien:

> Et nous tous qui, le visage découvert, réfléchissons (ou: contemplons) comme en un miroir la gloire du Seigneur, nous sommes transformés en cette même image, allant de gloire en gloire, comme de par le Seigneur, qui est Esprit. (2 Co 3.18)

A cause de sa relation avec le Christ et par le don de son Esprit, la gloire de Dieu rayonne dans le cœur du fidèle (2 Co 4.6). Peu à peu, cette lumière qu'il réfléchit le transfigure en elle-même; il devient toujours plus à l'image du Christ. La transformation commence par l'intérieur, c'est surtout Dieu qui agit[5]. Non sans la coopération de l'homme néanmoins: à lui de se tourner vers le Seigneur pour faire tomber le voile (2 Co 3.16).

Fidèle à ses origines hébraïques, Paul utilise les images de la route comme métaphore pour le comportement de l'homme ou de

Dieu. Il le fait certes lorsqu'il cite ou évoque les Ecritures (par ex. Rm 3.15-17; 11.33; 2 Co 6.16), mais c'est également sa propre façon de s'exprimer, comme quand il explique aux Corinthiens que Timothée leur rappellera «mes voies qui sont dans le Christ» (1 Co 4.17), ou que Tite et lui marchent sur les mêmes traces (2 Co 12.18).

Là ce ne sont sans doute que des métaphores à pas trop durcir. Il n'est pas difficile, toutefois, de trouver d'autres indices du fait que Paul comprend l'existence chrétienne comme un chemin à suivre. Comment l'histoire spirituelle de son peuple ne l'entraînerait-elle pas dans ce sens? L'apôtre médite l'exemple d'Abraham (Ga 3.6ss; Rm 4) et les leçons de la vie pérégrinante d'Israël dans le désert (1 Co 10). Il sait en outre que, dans le Christ, Dieu nous a préparé «une voie plus excellente» (1 Co 12.31). Ailleurs, il décrit cette voie par l'image saisissante d'un cortège triomphal, le Christ en tête (2 Co 2.14). Mais le plus souvent, pour représenter la vie de foi, Paul utilise l'image d'une *course* (1 Co 9.24-27; Ga 2.2; 5.7; Ph 2.16; 3.12-14). L'image traduit bien le caractère dynamique de cette vie, ainsi que l'effort continu demandé à l'être humain: il ne faut pas avoir «couru en vain». Si l'existence chrétienne est une course, ce qui importe, c'est de la vivre dans l'aujourd'hui de Dieu, à la lumière de l'avenir. L'image du croyant est ainsi implicitement opposée à celle d'un homme installé dans ses routines. Cependant, même ici, en maniant l'image très «activiste» de la course, l'apôtre n'oublie pas la priorité de l'activité divine: dans un de ces énoncés paradoxaux dont il a le secret, il proclame: «...je poursuis ma course pour tâcher de saisir, ayant été saisi moi-même par le Christ Jésus» (Ph 3.12b). Etre en route, c'est la condition fondamentale du chrétien, mais au depart déjà, il a rencontré le but.

Quel est le trajet de cette course? Paul offre-t-il un tracé de cette «voie plus excellente» à laquelle il convie les destinataires de ses lettres? Tout d'abord, c'est un être-en-route sous la mouvance de l'Esprit Saint. Dieu a envoyé dans les cœurs des fidèles l'Esprit de son Fils (Ga 4.6), source d'une Vie nouvelle (Rm 8.11). Dès lors ils «ne marchent pas selon la chair mais selon l'Esprit» (Rm 8.4), ils sont conduits par l'Esprit (Ga 5.18; Rm 8.14). Le célèbre chapitre 8 de la lettre aux Romains décrit cette vie «selon l'Esprit» opposée à la vie «selon la chair», c'est-à-dire une existence livrée à elle-même, essayant en vain de ménager par ses propres forces et ses propres lumières sa place dans l'univers. Pour Paul, ce chemin-ci est une voie sans issue, il ne conduit qu'à la mort (Rm 8.13). Les chrétiens eux-mêmes, s'ils ne grandissent dans la foi, courent le risque de vivre à ce niveau; par leurs disputes et leur esprit de jalousie ils sont «charnels et marchent selon l'homme» (1 Co 3.1-4). Puisque l'Esprit est la source véritable de leur vie, à eux de marcher selon l'Esprit (Ga 5.25; cf. 5.16). Alors ils porteront les fruits de l'Esprit: joie, paix, bonté et tant d'autres (Ga 5.22). Et avant tout le fruit de l'*agapè*, la charité, l'amour chrétien, résumé et accomplissement de la Torah (Ga 5.14). En un mot, «la voie plus excellente» est celle de l'amour (1 Co 13; cf. Ep 5.2).

Morts et ressuscités avec le Christ

Dans les lettres de maturité de saint Paul, le chemin chrétien, la voie de l'amour, tend à s'identifier toujours davantage avec le *mystère pascal*, le passage de la mort à la Vie nouvelle. Au cœur de l'Evangile proclamé par Paul se trouve le Christ crucifié, folie de Dieu plus sage que la sagesse humaine et faiblesse de Dieu plus forte que la puissance des hommes (1 Co 1.17ss). C'est le Christ, «livré pour nos fautes et ressuscité pour notre justification» (Rm 4.25), qui est pour le croyant la porte d'accès à la vie nouvelle (Rm 5.2).

Mais Paul va plus loin encore. Pour lui, le mystère pascal, la mort et la résurrection du Christ, n'est pas seulement la source de la grâce, du don fait aux croyants: il en est le contenu même. Autrement dit, ce que Dieu nous donne en envoyant son Fils parmi nous, c'est avant tout de pouvoir participer au pèlerinage de ce Fils de la mort à la vie d'éternité, la vie de communion. Ainsi, le passage pascal du Christ est en même temps source et modèle de la vie chrétienne, il dessine l'essentiel de la Voie tracée par Dieu au cœur de l'histoire humaine.

Pour le croyant, cette Voie commence en même temps que sa vie de foi, lors du baptême. Paul décrit le baptême comme une mort et l'entrée dans une vie nouvelle:

> Nous avons donc été ensevelis avec [le Christ] par le baptême dans la mort, afin que, comme le Christ est ressuscité des morts par la gloire du Père, nous marchions nous aussi dans une vie nouvelle. (Rm 6.4)

Etre chrétien, c'est être crucifié avec le Christ (Ga 2.19; cf. 5.24; 6.14) afin de vivre de lui (Ga 2.20; cf. Rm 6.11; Ph 1.21), afin de lui appartenir désormais, à lui seul, le Ressuscité (Rm 7.4; cf. 14.8; 1 Co 3.23; 6.19). Pour nous, nés dans une civilisation dite chrétienne et qui avons reçu le baptême dès notre plus jeune âge, ces phrases peuvent sonner comme de belles images quelque peu irréelles. Pour les premiers chrétiens, par contre, ainsi que pour toute une partie de l'Eglise de nos jours encore, elles décrivent bien une réalité existentielle exigeante et joyeuse à la fois. Se faire baptiser, c'était laisser derrière soi tout un univers avec ses valeurs, ses habitudes, ses relations, pour entrer dans une communauté qui menait une vie radicalement autre, une existence comblée mais en même temps souvent incertaine, voire menacée, et un avenir imprévisible du point de vue humain. Bref, c'était risquer sa vie à cause du Christ. A nous, chrétiens de naissance, de rappeler cette signification radicale de notre baptême, afin de ne pas réduire le chemin pascal à une simple appartenance sociologique.

Paul présente le baptême, point de départ et résumé de la vie chrétienne, comme notre participation à la mort salvifique du Seigneur. Concrètement, cela signifie que le chrétien ne manquera pas de connaître dans son existence des épreuves, des souffrances qu'il saura voir comme une participation existentielle à la croix du Christ. Pour Paul, cette affirmation n'a rien de théorique: il l'expérimente jour après jour dans sa vie d'apôtre:

> Nous portons partout et toujours en notre corps les souffrances de mort de Jésus, pour que la vie de Jésus soit, elle aussi, manifestée dans notre corps. Quoique vivants en effet, nous sommes continuellement livrés à la mort à cause de Jésus, pour que la vie de Jésus soit, elle aussi, manifestée dans notre chair mortelle. (2 Co 4.10-11)

Paul explique aux Philippiens que le fait de souffrir pour le Christ est une grâce (Ph 1.29-30), et il va jusqu'à écrire aux Romains que «nous sommes fiers même des tribulations» (Rm 5.3). De telles paroles n'ont rien de morbide: Paul n'exalte nullement la souffrance en soi, mais uniquement en tant que chemin de résurrection, participation à la libération définitive de tout l'univers dans le Christ (cf. Rm 8.18ss). Cette libération n'est pas seulement une réalité à venir: écrivant aux Corinthiens (2 Co 1.3-11; 4.8-12), Paul célèbre la mystérieuse dialectique d'épreuves et de consolations déjà à l'œuvre dans sa vie et celle de la communauté, il la voit comme une actualisation permanente du mystère pascal. Il s'agit, en définitive, de suivre le Christ; ce n'est pas le *souffrir*, mais le souffrir-*avec-lui* qui importe. Le célèbre hymne que l'apôtre reproduit dans sa lettre aux Philippiens (Ph 2.6-11) révèle le sens authentique de cette «kénose» ou abaissement de Jésus, en la décrivant comme une conséquence de la générosité divine. Précisément parce qu'il était «de rang divin», le Christ ne chercha pas à «profiter» de ce qu'il avait mais bien plutôt à le partager le plus possible en s'abaissant jusqu'à la dernière place. Une fois encore, la clef qui permet de déchiffrer l'énigme, c'est l'amour.

La croix du Christ est ainsi pour Paul une dimension permanente de la vie des croyants. Quant à notre participation actuelle dans la résurrection du Christ, l'apôtre l'exprime d'une façon plus nuancée. Il souligne tantôt l'aspect présent, tantôt l'aspect futur de cette réalité. Lorsqu'il parle du baptême comme une mort avec le Christ, la vie nouvelle des chrétiens semble bien être une réalité présente dans sa pensée (Rm 6.4), mais notre résurrection est qualifiée d'un verbe au futur (Rm 6.5, «serons»). De même en 1 Co 6.14 (au moins dans la lecture la plus probable), notre résurrection est encore à venir. Ailleurs, par contre, Paul parle des chrétiens comme «des vivants revenus de la mort» (Rm 6.13). A ce stade de sa pensée, il semble que Paul hésite à employer le mot «résurrection» (ou «glorification», cf. Rm 8.17) pour parler de l'état présent des chrétiens, peut-être en partie pour ne pas fournir d'arguments à des «exaltés» qui prétendaient avoir déjà atteint la perfection à l'instar des adeptes des «mystères» hellénistiques.

Face à une telle réduction de la foi, Paul insiste sur la dimension future de l'Evangile, la dimension de l'attente; ailleurs, lorsqu'il est confronté à des «judaïsants», il met par contre l'accent sur le Christ, accomplissement de la Torah (cf. Rm 10.4). Certes, par la venue de Jésus-Christ toutes les promesses divines ont été accomplies (2 Co 1.20), la fin des âges (1 Co 10.11), la plénitude du temps (Ga 4.4) sont arrivés. Cependant, cet accomplissement ne nous est accessible que sous la modalité de l'espérance (Rm 5.5; 8.24s); nous possédons maintenant la vie de l'Esprit comme «prémices» (Rm 8.23), «sceau» (2 Co 1.22; cf. Ep 4.30; 1.13) ou «acompte» (2 Co 1.22; 5.5; cf. Ep 1.14) d'un accomplissement à venir.

L'apôtre emploie une grande diversité d'expressions pour exprimer l'horizon eschatologique de sa foi. Il attend le «Jour du Christ» (1 Co 1.8; 2 Co 1.14; Ph 1.6,10; 2.16) ou «du Seigneur» (1 Co 5.5), parfois appelé simplement «le Jour» (1 Co 3.13; cf. Rm 13.12). Paul identifie-t-il ce Jour-là avec le Jour du jugement (Rm 2.5,16) et le tribunal de Dieu (Rm 14.10)? Il semblerait que oui (cf. 1 Co 4.4s; 2 Co 5.10), bien que son choix d'expressions soit déterminé surtout par le contexte: il ne cherche pas à élaborer en ce domaine un système rigoureux. Ailleurs, il parle de la Révélation (1 Co 1.7; cf. Rm 8.18-19; 16.25) ou de l'Avènement (1 Co 15.23) du Christ, de sa venue (1 Co 4.5; 11.26; cf. 13.10; Ph 3.20), d'une rencontre face à face (1 Co 13.12). Un autre ensemble d'images concerne avant tout le fait de notre résurrection (1 Co 15) que Paul décrit volontiers comme une transfiguration de notre corps (1 Co 15.51-52; Ph 3.21) ou comme son revêtement par l'immortalité (1 Co 15.53-54; 2 Co 5.1-5).

A elle seule, la diversité de ces images montre bien que pour l'apôtre l'essentiel ne consiste point dans des descriptions détaillées et empiriques d'un avenir forcément au-delà de tout ce que les humains peuvent concevoir (cf. 1 Co 2.9). Paul n'a rien de commun avec un voyant s'efforçant de pénétrer par son entendement les mystères de Dieu. Son centre de gravité se trouve ailleurs, dans le présent; il est habité avant tout par sa vocation de porter la Bonne Nouvelle aux païens, de permettre la naissance et la maturation d'Eglises locales. Il ne se livre à des spéculations concernant l'état futur que lorsqu'il est obligé de faire face à des erreurs manifestes, et là encore il dit juste ce qu'il faut pour barrer la fausse piste et pour ramener ses lecteurs à l'essentiel de la foi (voir par ex. 1 Co 15).

Les images de l'avenir absolu employées par Paul dans ses lettres ont une raison d'être autrement profonde: elles veulent aider les croyants à vivre leur vie présente de manière conforme à l'Evangile qu'ils ont reçu. Ceci ressort clairement de ce que l'apôtre écrit aux chrétiens de Corinthe:

> Je vous le dis, frères: le temps se fait court. Que désormais ceux qui ont femme vivent comme s'ils n'en avaient pas; ceux qui pleurent, comme s'ils ne pleuraient pas; ceux qui sont dans la joie, comme s'ils n'étaient pas dans la joie; ceux qui achètent, comme s'ils ne possédaient pas; ceux qui usent de ce monde, comme s'ils n'en usaient pas vraiment. Car elle passe, la figure de ce monde. (1 Co 7.29-31)

Ces phrases nous présentent le fondement de la morale chrétienne. Vivre à la lumière du Jour-qui-vient, c'est être *dans* le monde sans être *du* monde (cf. Jn 17.14ss), témoins d'un autre avenir. Tout en participant à la vie de la famille humaine, se faisant «tout à tous» (1 Co 9.19-23), se réjouissant avec qui est dans la joie, pleurant avec qui pleure (Rm 12.15), celui qui vit dans l'attente de Dieu sait que son vrai centre se trouve ailleurs. Sa patrie est dans le ciel (Ph 3.20), ce qui rend possible une certaine liberté vis-à-vis des conditionnements et des illusions d'un monde clos sur lui-même. Paradoxalement, le fait de vivre dans l'attente donne au croyant le recul nécessaire pour mieux accompagner les autres (cf. 1 Co 9.19; Ga 5.13). Il est «éveillé» (1 Th 5.6), il garde une joie profonde au milieu même des soucis et des tracasseries du monde (Ph 4.4-7). En un mot, loin de nous détourner des problèmes de ce monde-ci, l'eschatologie chrétienne nous fournit le nécessaire pour vraiment y faire face. Elle nous permet de vivre authentiquement, en pèlerins, au cœur de notre réalité terrestre.

Paul nous montre les liens entre le mystère pascal vécu par le Christ, notre comportement quotidien et l'attente d'un accomplissement dans un texte très dense où il reprend l'image de la course:

> [Je veux] connaître [le Christ], avec la puissance de sa résurrection et la communion à ses souffrances, lui devenir conforme dans sa mort, afin de parvenir si possible à ressusciter d'entre les morts. Non que je sois déjà au but, ni déjà devenu parfait; mais je poursuis ma course pour tâcher de saisir, ayant été saisi moi-même par le Christ Jésus. (Ph 3.10-12)

Ici nous comprenons à quel point le cheminement chrétien est différent de l'imitation extérieure d'un modèle. Pour l'apôtre, tout commence par sa communion avec le Ressuscité, communion qui infuse une énergie nouvelle dans sa vie. Il y puise la force de com-patir, de souffrir avec le Christ, et ainsi de vivre dans sa propre existence le mystère de mort-et-résurrection, avec comme horizon ultime la résurrection finale. «Saisi» par le Christ, il se met en route vers une rencontre définitive avec lui. La présence de l'Esprit Saint dans le croyant est une source d'«insatisfaction», une force motrice qui le propulse vers un accomplissement (Rm 8.23). Nous possédons, mieux, nous sommes possédés (Ph 3.12b) déjà, mais le cadeau que Dieu met entre nos mains est celui d'une Voie. La seule façon pour le chrétien d'être parfait, c'est d'être en route (Ph 3.12a,15), c'est de parcourir le chemin pascal de Dieu.

Contempler le mystère

Lorsque nous passons des grandes lettres de Paul à ses lettres dites «de captivité», COLOSSIENS et ÉPHÉSIENS, l'optique n'est pas tout à fait la même, à tel point que nombre de commentateurs ont émis des doutes sur l'origine paulinienne de ces deux lettres, ou tout au moins d'Ep. Les grands thèmes de l'apôtre y restent présents, mais tout est englobé dans la contemplation du *mystère* (Col 1.26,27; 2.2; Ep 1.9; 3.3-5,9; 5.32; 6.19), c'est-à-dire «le dessein bienveillant que [Dieu] avait formé en [Jésus Christ] par avance, pour le réaliser quand les temps seraient accomplis» (Ep 1.9b-10a). L'aboutissement de ce dessein, c'est la *réconciliation* (Col 1.20) ou *récapitulation* (Ep 1.10) de toutes choses dans le Christ, et la con- crétisation en est l'existence de l'Eglise, où juifs et païens forment ensemble «un seul Homme nouveau» (Ep 2.15; cf. Col 3.9-11), un «Homme parfait» (Ep 4.13), la famille de Dieu (Ep 2.19; cf. 3.6).

L'accent se trouve ainsi mis d'emblée sur ce qui est déjà acquis, sur la victoire du Christ, par le don de sa vie («son sang», Col 1.20; Ep 1.7; 2.13), sur toutes les puissances hostiles du monde (Col 2.15; cf. Ep 6.12), notamment sur les forces de division et d'hostilité (Ep 2.14). Ainsi, nous sommes déjà «arrachés à l'empire des ténèbres et...transférés dans le Royaume de son Fils bien-aimé» (Col 1.13). A la différence des lettres précédentes, l'auteur n'hésite pas à aller jusqu'à parler de la résurrection — et même de la vie au ciel — comme d'une réalité déjà actuelle pour les croyants (Col 2.12; 3.1; Ep 2.6). C'est aller très loin dans le sens de «l'eschatologie réalisée», et l'on pourrait craindre que les images dynamiques d'une progression, si importantes dans les autres écrits pauliniens, ne soient finalement laissées dans l'ombre.

Or, une lecture plus attentive montre que la dimension du chemin fait également partie de l'optique de ces lettres, surtout de Col. Si l'essentiel est déjà donné, il n'est pas donné comme terme statique mais comme principe de croissance. L'Evangile «qui est parvenu chez vous» est en train de fructifier et de se développer dans le monde entier (Col 1.6), entre autres par le ministère de Paul lui-même (Col 1.28-29), par sa mission d'«accomplir la Parole de Dieu» (Col 1.25). Cette Parole transmet une «espérance réservée dans les cieux» (Col 1.5; cf. 1.23,27; Ep 1.18), dont les croyants, animés par l'Esprit Saint, possèdent déjà l'acompte (Ep 1.13-14). Ressuscités avec le Christ, les fidèles attendent d'être «manifestés» avec lui dans la gloire (Col 3.1-4). Tout en célébrant les merveilles déjà accomplies par la venue du Christ et par son passage vers Dieu, l'auteur mantient les yeux fixés sur une plénitude encore inachevée.

Cette dynamique devient plus manifeste encore quand nous passons de l'indicatif à l'impératif, de la description du mystère de salut à ses conséquences pour la vie des fidèles. Il s'agit alors de réaliser dans son existence personnelle et communautaire ce que Dieu a déjà rendu possible dans le cosmos et dans l'histoire en envoyant son Fils. En peu de mots, il faut «cheminer d'une manière digne du Seigneur» (Col 1.10; cf. 1 Th 2.12), ou encore «cheminer dans le Christ, Jésus le Seigneur, tel que vous l'avez reçu» (Col 2.6). Ceci est le fruit de la conversion du cœur: on quitte les chemins sans issue d'autrefois (Col 3.7; Ep 4.17) pour marcher comme des enfants de lumière (Ep 5.8; cf. 1 Th 5.5), dans l'amour (Ep 5.2), suivant ainsi les traces de Dieu (Ep 5.1). Aussi l'apôtre peut-il prier pour que les fidèles parviennent à la pleine connaissance de la volonté de Dieu (Col 1.9; Ep 1.17-18), qu'ils découvrent toutes les dimensions de son amour insondable (Ep 3.14-19). C'est la «puissante énergie» de cet amour en eux qui les gardera fidèles et joyeux (Col 1.11), elle est «capable de faire bien au-delà, infiniment au-delà de tout ce que nous pouvons demander ou concevoir» (Ep 3.20b).

Aux images de la route, pourtant, Col et Ep en préfèrent d'autres. D'abord, il y a celle d'un changement de vêtements, plus significative dans le monde ancien où les habits indiquaient clairement le rang, l'identité d'une personne. Par son baptême et son entrée dans la communion des saints (cf. Col 1.2,4,12,22; Ep 1.1,4 etc.), l'Eglise, le chrétien s'est «dépouillé du vieil homme avec ses agissements et [il a] revêtu le Nouveau, celui qui s'achemine vers la vraie connaissance en se renouvelant à l'image de son Créateur» (Col 3.9b-10). Dans leur nouvelle identité comme membres du Christ, les fidèles vivent comme un renouvellement perpétuel de l'entendement et du comportement. Ep, dans une phrase similaire, met l'accent sur l'agir humain: les croyants doivent abandonner leur premier genre de vie, celui du «vieil homme», pour se renouveler et se revêtir de «l'Homme nouveau» (Ep 4.22-24). Néanmoins, l'auteur ajoute aussitôt que cet Homme nouveau est «créé selon Dieu»: il n'est pas simplement le fruit de l'activité humaine mais une conséquence de l'énergie créatrice de Dieu libérée dans la résurrection de Jésus-Christ (cf. Ep 1.19-20).

L'image de dépouillement et de revêtement a des résonances pascales, et le chemin chrétien comme participation à la mort et à la résurrection du Christ laisse en effet ses traces ici aussi. Dans son propre ministère, l'apôtre «complète en [sa] chair ce qui manque aux épreuves du Christ pour son Corps, qui est l'Eglise» (Col 1.24b). Il est alors rempli de la joie pascale au milieu des souffrances (Col 1.24a; cf. Ep 3.13). De même, les chrétiens sont «morts avec le Christ aux éléments du monde» (Col 2.20; cf. Ep 2.1), ils doivent à leur tour «mettre à mort [leurs] membres terrestres» et «chercher,...viser les choses d'en haut» (Col 3.5,1-2). Ce cheminement pascal s'accomplit de façon exemplaire dans le *pardon*. En passant sans cesse, à la suite du Christ (Col 3.13; Ep 4.32), de l'aliénation ou de l'hostilité à l'unité et à l'amour, les fidèles découvrent cette paix qui n'est point passivité (car la vie chrétienne est un combat spirituel, Ep 6.10ss) mais plénitude d'une communion (Col 3.15; Ep 2.14-18).

Enfin et surtout, les lettres de la captivité traduisent la voie chrétienne par l'image de *la croissance du corps*. Ep exprime parfaitement la relation entre le chemin du Christ et celui des chrétiens par des mots difficiles à comprendre au premier abord: il s'agit de «grandir de toutes manières vers Celui qui est la Tête» (Ep 4.15). Pour bien saisir l'image, il faut savoir qu'ici la tête ne signifie pas avant tout la suprématie ou la souveraineté, comme pour nous en Occident (latin *caput*, français *chef*). Pour la mentalité grecque, la tête ne gouverne pas le corps, elle est plutôt le point de départ de tout le corps ainsi que le microcosme, c'est-à-dire le résumé ou récapit-ulation[6]. Ainsi en Col, le Christ est «la Tête du Corps, c'est-à-dire de l'Eglise» parce qu'il est «le Commencement (*archè*[7]),Premier-né d'entre les morts», celui en qui habite toute la Plénitude (Col 1.18-19). Depuis la Tête, «le Corps entier reçoit nourriture et cohésion, par les jointures et ligaments, pour réaliser sa croissance en Dieu» (Col 2.19).

Dire que Dieu a constitué le Christ «Tête pour l'Eglise» (Ep 1.22s) revient à dire que, par sa résurrection, le Christ est le point de départ d'une humanité nouvelle, réconciliée; il est une sorte de nouvel Adam, prototype de l'être humain recréé (cf. Rm 5.12ss; 1 Co 15.20-22). Dans la Tête, le Corps entier est déjà virtuellement présent, et pourtant ce Corps doit grandir et parvenir à la pleine maturité. De la Tête découlent tous les dons nécessaires pour l'édification du Corps (Ep 4.7-12) mais ces dons doivent être mis en œuvre dans l'unité de la charité chrétienne (Ep 4.1-6). Dès lors on comprend pourquoi, dans Col et Ep, la voie chrétienne s'exprime avant tout par la croissance ou la construction du Corps du Christ, au terme de laquelle nous devons parvenir, tous ensemble, à ne faire plus qu'un dans la foi et la connaissance du Fils de Dieu, et à constituer cet Homme parfait, dans la force de l'âge, qui réalise la plénitude du Christ» (Ep 4.13)

Cet «Homme parfait», le *totus Christus*, le Christ avec son Corps universel, est la réalité ultime (cf. Col 2.17), aboutissement du dessein bienveillant du Père depuis le commencement (Ep 1.9-10). La contemplation de ce mystère aux dimensions universelles donne sens et consistance à tout pèlerinage personnel en compagnie du Christ Jésus.

POUR LA RÉFLEXION

1. Les lettres de saint Paul ne présentent pas la foi comme des idées ou des théories sur Dieu mais comme la transmission d'une Vie nouvelle. Personnellement, d'où ai-je reçu cette Vie? Comment est-ce que je la transmets aux autres?

2. Paul utilise l'expression «des fils de la lumière, des fils du Jour» (1 Th 5.5) pour décrire les fidèles. Il souligne ainsi le fait qu'ils ne suivent pas les valeurs et les habitudes d'un monde voué à la disparition mais qu'ils vivent déjà en fonction d'un autre avenir, de la présence de Dieu en plénitude parmi nous. Concrètement, que signifie cette expression pour notre façon de vivre, pour notre style de vie?

3. Pour l'apôtre, la vie chrétienne est essentiellement une vie de communion avec Dieu qui se concrétise dans des relations de communion, de communauté, entre les hommes et les femmes dont la vie a été transformée par le Christ. Comment enraciner notre existence dans cette double communion? Ma relation avec Dieu me pousse-t-elle à chercher la communion avec tous les humains, en commençant par ceux qui portent avec moi le nom du Christ? Quels gestes de solidarité et de partage pouvons-nous poser autour de nous? Comment dépasser nos différences dans la découverte d'une appartenance commune?

4. Quelle est la différence entre l'unanimité et l'uniformité, entre la diversité et la division dans la communauté chrétienne? Comment l'image paulinienne du corps et des membres (1 Co 12) nous aide-t-elle à comprendre la structure de la communauté chrétienne et la relation entre l'unité et la diversité?

5. Pourquoi Paul emploie-t-il l'image d'une course *(1 Co 9.24-27; Ph 3.12-14) pour décrire la vie de foi? Que veut-il dire en décrivant le baptême (Rm 6.4), voire toute l'existence chrétienne (Ga 2.19-20; Rm 6.11; 7.4; 2 Co 4.10-11), comme une participation à la mort et à la résurrection du Christ?*

6. Selon Col et Ep, l'aboutissement du dessein de Dieu est la réconciliation (Col 1.20), la récapitulation (Ep 1.10) de l'univers dans le Christ, la création d'un seul Homme nouveau (Ep 2.15; cf. Col 3.9-11), un Homme parfait (Ep 4.13). En quoi cette affirmation nous permet-elle de déterminer nos priorités en tant que croyants? Quelles conséquences a-t-elle pour le rôle de l'Eglise dans le monde?

NOTES DU CHAPITRE VI

1. Pour certains, soit dit en passant, 2 Th ne serait pas à sa place ici. Cette lettre serait même une imitation tardive de saint Paul. Quoi qu'il en soit de cette hypothèse, l'argument de ce chapitre ne serait pas matériellement modifié.

2. En même temps, l'imitation chrétienne est une réalité bien plus profonde que la simple tentative de copier un modèle extérieur. Voir l'article éclairant de David STANLEY, s.j., «Imitation in Paul's Letters: Its Significance for His Relationship to Jesus and to His Own Christian Foundations» in Peter RICHARDSON & John C. HURD (eds.), *From Jesus to Paul: Studies in Honour of Francis Wright Beare*, Waterloo, Ont. Canada: Wilfrid Laurier Univ. Press, 1984, p. 127-141.

3. Sur ce sujet, voir Jörg BAUMGARTEN, *Paulus und die Apokalyptik: Die Auslegung apokalyptischen Überlieferungen in den echten Paulusbriefen* (WMANT, 44), Neukirchener Verlag, 1975. L'auteur montre que, pour l'apôtre, l'élément de speculation mythologique ou apocalyptique sur la «fin du monde» compte assez peu. En outre, il met en garde contre toute tentative d'établir une «théorie d'évolution» pour interpréter la pensée eschatologique de Paul, notamment à partir d'une notion comme «l'attente d'une fin imminente (*Nah-Erwartung*)». Voir surtout p. 198-226, 236-238.

4. John A.T. ROBINSON, *Le corps: Etude sur la théologie de saint Paul*, Ed. du Chalet, 1966, fait même de la notion du corps la pierre d'angle de la théologie paulinienne. Il souligne avec raison que la langue hébraïque n'a pas de mot propre pour le corps, que le même mot, *bâsâr*, est traduit en grec tantôt par «chair» (*sarx*) tantôt par «corps» (*sôma*). Si le terme de *sarx* met l'accent sur la qualité périssable et transitoire de la création, celui de *sôma* désigne «l'homme solidaire de la création, en tant que fait pour Dieu» (p. 52). En tout cas, pour les Hébreux, «ce n'est pas dans le corps que le principe d'individuation fut placé...Le corps-de-chair n'était pas ce qui séparait un homme de son voisin; il était plutôt ce qui, dans le faisceau de la vie, le reliait à tous les hommes et à la nature...» (p. 28-29).

5. La traduction de *katoptrizomai* par «contempler» au lieu de «réfléchir», qui s'accorde moins bien avec le contexte, introduirait une nuance un peu plus active mais ne modifierait pas la portée essentielle du texte.

6. Pour ce thème, voir Francis GROB, «L'image du corps et de la tête dans l'Epître aux Ephésiens», *Etudes Théologiques et Religieuses* 1983-84 (vol. 58), p. 491-500.

7. Il est intéressant que le mot grec *arché* porte les deux significations «commencement, origine» et «souveraineté». Il doit sembler assez évident que le premier est celui qui dirige. Cf. les mots «prince», «prieur».

VII

Etrangers et pèlerins

Les lettres apostoliques qui suivent le corpus paulinien n'ajoutent pas beaucoup à notre compréhension de la foi comme pèlerinage. A deux exceptions près, les auteurs employent les mêmes images de la route que nous avons déjà relevées, sans que ce thème devienne une pierre d'angle de leur pensée. Ainsi, les lettres johanniques encouragent les baptisés à marcher dans la lumière et non pas dans les ténèbres (1 Jn 1.6-7; 2.11), à marcher dans la vérité (2 Jn 4; 3 Jn 3,4; cf. 2 Jn 6) sur les traces du Christ (1 Jn 2.6). Jn parle de la vie chrétienne comme d'un passage de la mort à la vie dont le signe indubitable est l'amour fraternel (1 Jn 3.14).

De même, les lettres de Paul à Timothée parlent du sort de ceux qui se sont détournés de la foi (1 Tm 1.6,19; 6.10,21; 2 Tm 2.18; 4.4) et exhortent le disciple à «poursuivre la justice, la piété, la foi, la charité, la constance, la douceur» (1 Tm 6.11; cf. 2 Tm 2.22). Pour sa part, l'apôtre a «terminé sa course» (2 Tm 4.7). Les lettres de Jacques et de Jude contiennent quelques sémitismes incorporant le vocabulaire de la route (par ex. Jc 1.8,11; Jude 11), et 2 Pierre offre une merveilleuse qualification de la vie chrétienne comme «le chemin de la vérité» (2 P 2.2), bien que d'aucuns ne voient ici qu'un sémitisme signifiant «la juste façon de vivre» par rapport à la fausse sagesse des adversaires.

Il y a cependant un livre du Nouveau Testament qui nous offre une vision extrêmement développée du chemin du Christ et des

175

croyants. Ce livre, c'est l'épître aux HEBREUX (He), bien que nous n'ayons pas ici vraiment affaire à une lettre. L'épître est plutôt une homélie ou un traité destiné à encourager ses destinataires et à les amener à grandir dans la foi en leur exposant «l'enseignement parfait» (He 6.1) qui convient à des disciples avancés, non à des débutants. Avec beaucoup de sophistication l'auteur inconnu ouvre l'intelligence de ses auditeurs à l'essentiel de la voie chrétienne, à l'être-en-route des baptisés sous la conduite de Jésus, celui qui les devance et leur ouvre le chemin.

Jésus, notre grand prêtre

L'épître aux Hébreux n'est pas non plus un évangile. Pour évoquer les étapes de la carrière de Jésus-Christ, l'auteur préfère aux souvenirs historiques des catégories tirées des Ecritures hébraïques, notamment des psaumes. Cette option de base lui permet de mieux cerner l'unité du dessein de Dieu par-delà le passage de la «première» à la «seconde» alliance (cf. He 8.7ss), et fait ressortir avec plus de clarté les lignes essentielles du chemin du Christ. Bref, nous avons affaire ici à une vraie théologie, une présentation synthétique de la voie chrétienne riche en conséquences pour la foi.

L'image dominante employée par He pour comprendre Jésus provient du Psaume 110, le portrait du Messie qui siège à la droite de Dieu et qui est «prêtre à jamais selon l'ordre de Melchisédech» (Ps 110.4b); il unit ainsi en sa personne les offices du roi et du prêtre. Presque chaque fois, en effet, que He évoque la résurrection-exaltation du Christ, il le fait au moyen de cette métaphore de l'intronisation (1.3; 8.1; 10.12; 12.2) ou de celle, connexe, de la traversée ou entrée dans les cieux (4.14; 7.26; 9.24) dont nous allons voir les liens avec l'image du grand prêtre entrant dans le sanctuaire (cf. aussi 6.20; 9.12; 10.20).

A cet égard, le premier titre donné à Jésus par notre auteur est celui du *Fils*, terme qui a pour lui des résonances messianiques (1.5; 5.5; cf. Ps 2.7) et donc, à la lumière du Ps 110, sacerdotales (5.6; 4.14). Bien que ce nom lui soit octroyé seulement lors de son intronisation-résurrection à l'issue de sa carrière (1.4-6), il exprime la vérité fondamentale et permanente de son être; pour emprunter une image chère à He, l'accomplissement consiste dans le fait que l'héritier reçoit enfin son héritage (cf. 1.2,4).

Les premiers versets de l'épître (1.1-4) tracent le chemin du Christ par une longue phrase très dense qui a été reconnue comme «la phrase grecque la plus parfaite du Nouveau Testament»[1]. S'enracinant dans la tradition sapientielle du judaïsme, l'auteur présente le Fils comme co-créateur, médiateur entre Dieu et sa création. Cet être préexistant doit ensuite accomplir «la purification des péchés» avant d'être exalté et reconnu publiquement comme Fils. Dieu le présente comme son premier-né pour recevoir l'hommage de l'ensemble du monde habité (*oikoumené*), ce qui veut probablement dire dans le contexte le monde purifié, le monde à venir (1.6; cf. 2.5). La mission de Jésus décrit ainsi une courbe de descente et de remontée qui fait songer à d'autres textes du Nouveau Testament comme le célèbre hymne de la lettre aux Philippiens (Ph 2.6-11) ou l'évangile selon saint Jean (voir ch. IV). Mais le début de He y ajoute une perspective historique: la venue du Fils est le couronnement définitif de toute une série de révélations divines (1.1-2).

Un schéma identique, à deux volets, réapparaît plus tard. Il est question de «Jésus qui...endura une croix...et qui est assis désormais à la droite du trône de Dieu» (12.2b). De même, dans un commentaire du Psaume 8 la vie, la mort et la résurrection de Jésus sont décrites en termes d'abaissement, de couronnement et de la seigneurie sur l'univers (2.5-9). Le grand intérêt de ce dernier passage réside dans l'application à Jésus d'un psaume décrivant la vocation de l'homme tout court, de l'être humain en tant que tel. Pour He, tout en étant le Fils de Dieu, le Christ est ainsi «le fils de l'homme» par excellence: il résume en sa personne la vocation du genre humain. C'est la même intuition exprimée dans Col et Ep par le terme «Tête» (cf. p. 169); He, pour sa part (mais cf. 3.6; 10.21), préfère des expressions telles qu'«initiateur, dirigeant, guide» (*archégos* 2.10; 12.2) ou «précurseur, avant-coureur» (*prodromos* 6.20) pour indiquer le lien entre le Fils et «le grand nombre de fils», l'humanité appelée à partager la vie même de Dieu (2.10).

Ce qu'on vient de dire ne nous donne que des éléments épars pour l'intelligence du chemin du Christ selon He; la clef de voûte y manque encore. Cette clef, nous la trouvons d'abord en 2.17: le Christ doit «devenir en tout semblable à ses frères, afin de devenir, dans leurs rapports avec Dieu, un *grand prêtre* miséricordieux et fidèle, pour expier les péchés du peuple.» Pour He, Jésus-Christ est avant tout le grand prêtre par excellence: c'est cette notion qui ouvre à la pleine compréhension de son identité et de sa mission.

«Un grand prêtre...pour expier les péchés du peuple.» Depuis le retour de la captivité babylonienne, pour une communauté juive qui manquait d'autonomie politique, le chef de l'une des grandes familles sacerdotales symbolisait l'unité du peuple et recevait le titre de «grand (lit. chef ou premier) prêtre». Or, parmi les fêtes les plus importantes du calendrier juif se trouve *Yom Kippour*, le Jour des Expiations. Grande Fête du Pardon, le Yom Kippour était le seul jour de l'année où le grand prêtre, après avoir offert des sacrifices pour ses péchés et ceux du peuple, passait au-delà du voile pour pénétrer dans le sanctuaire intérieur du Temple («le Saint des Saints»). Une fois entré, il offrait de l'encens et aspergeait de sang le «propitiatoire» ou couvercle de l'Arche (Lv 16), actes qui symbolisaient une communion retrouvée avec le Seigneur malgré les fautes du peuple.

Pour l'auteur d'He, Jésus, le Fils de Dieu, est seul réellement capable de nous apporter le pardon et de rétablir ainsi une pleine communion entre Dieu et l'humanité. Il est par conséquent le véritable grand prêtre, «miséricordieux et accrédité...saint, innocent, immaculé, séparé désormais des pécheurs, élevé plus haut que les cieux» (2.17; 7.26). Son chemin est décrit comme une liturgie du Yom Kippour, autrement dit, sa mort et sa résurrection accomplissent de façon véritable et définitive ce dont la liturgie juive ne fut qu'une «copie» (8.5; 9.23), une «figure» (9.9), une «ombre» ou «esquisse» (8.5; 10.1) destinée à préparer les esprits à accueillir la vérité.

Avant de nous apporter le pardon des péchés, le Fils doit assumer le rôle de grand prêtre et y être accrédité. Pour He, cela implique avant tout qu'il doit entrer dans le monde et devenir homme parmi les hommes. Ce qu'on appelera plus tard l'incarnation a donc ici une finalité salvifique, elle est ordonnée à la mort et à la résurrection de Jésus pour nous, c'est-à-dire à son office de grand prêtre. De nouveau nous retrouvons en filigrane le schéma descente-remontée: Jésus est «l'apôtre (=l'envoyé) et le grand prêtre de notre confession de foi» (3.1), il vient dans le monde pour accomplir la volonté de Dieu d'une manière bien plus efficace que tous les sacrifices de l'ancien culte (10.5-10; cf. Ps 40). He explique longuement la nécessité pour le Christ d'être un homme afin de sauver l'humanité: le sanctificateur et les sanctifiés doivent avoir une même origine (2.11), «du fait qu'il a lui-même souffert par l'épreuve, il est capable de venir en aide à ceux qui sont éprouvés» (2.18).

C'est pour nous que Jésus a dû goûter la mort (2.9), c'est pour nous qu'il devait imprimer dans sa propre chair l'attitude d'obéissance filiale, de confiance en son Père même au plus profond de la nuit (5.8-9). Grand prêtre compatissant (4.15; 5.2), il était en mesure de nous libérer comme quelqu'un qui a souffert avec et pour nous. Le salut qu'il offre n'a rien d'une condescendance hautaine, il passe par une solidarité vécue, par un partage authentique de notre misère. En Jésus-Christ, le chemin de Dieu rejoint le plus creux de la condition humaine: désormais, nul n'est placé trop bas pour le rencontrer.

Dans l'Israël ancien, le sacerdoce était exercé par des hommes de la tribu de Lévi. Jésus, en tant que descendant de David, provenait de la tribu de Juda (7.13-14). Obstacle fondamental, semble-t-il, à la reconnaissance de Jésus par des juifs comme le véritable grand prêtre. He est pleinement conscient de cette difficulté; la solution trouvée résout le problème tout en éclairant l'ensemble de la question de la relation entre l'Evangile et la Torah juive. Rappelons-nous que selon le Ps 110, le Messie est «prêtre selon l'ordre de Melchisédech». Or, Melchisédech, roi de Salem, est un personnage antérieur et en-dehors de l'économie hébraïque, «sans père, sans mère, sans généalogie, dont les jours n'ont pas de commencement et dont la vie n'a pas de fin...» (7.3). Il est ainsi, de manière éminente, une figure du Fils de Dieu (cf. 7.3b).

L'argument d'He repose sur la relation entre Melchisédech et Abraham, racontée dans le chapitre 14 du livre de la Genèse. Après sa campagne victorieuse contre les rois cananéens, le patriarche donne la dîme de tout son butin au roi-prêtre et reçoit sa bénédiction. En Abraham, leur père, c'est donc comme si tout le peuple d'Israël, y compris Aaron, Lévi et tous les prêtres lévitiques, rendaient hommage à un sacerdoce supérieur (7.1ss). Ainsi se trouvent déjà indiquées, longtemps à l'avance, les limites du sacerdoce lévitique, voire les limites de toute la Loi de Moïse (7.12,18-19). Apparemment venu en dernier, le Christ est en fait le premier: il est ce «prêtre pour l'éternité selon l'ordre de Melchisédech» avec lequel Dieu s'engage par serment formel (7.17,20-22). L'alliance dont il est porté garant est donc meilleure (7.22; 8.6), voire éternelle (13.20). Le Christ est «médiateur d'une nouvelle alliance» (9.15; cf. 8.8,13), d'une alliance neuve (12.24), mais cette expression n'indique pas une sorte d'arrière-pensée de la part de Dieu: l'exemple de Melchisédech témoigne du fait que ce projet est plus ancien que l'existence même du peuple de Dieu. L'économie de la Torah de Moïse se trouve entourée de tous côtés par l'économie du Fils, meilleure et plus grande. La relation entre les deux est comme celle entre une maison et son constructeur, ou bien entre un serviteur de la famille et le fils (3.1-6), maître de la maison (3.6; 10.21).

Une liturgie cosmique de réconciliation

Essayons maintenant de préciser, selon l'épître aux Hébreux, le chemin du Christ par lequel il inaugure cette nouvelle et meilleure alliance «une fois pour toutes». En d'autres termes, comment Jésus, notre grand prêtre, a-t-il célébré cette liturgie définitive du Yom Kippour qui accomplit et remplace tous les rites de l'économie ancienne en établissant une communion inébranlable entre Dieu et l'humanité[2]?

Rappelons-nous que la liturgie du Jour du Pardon comporte deux étapes successives. D'abord, dans la première tente, le grand prêtre sacrifie des boucs et des taureaux pour lui-même et pour le peuple. Le Christ, par contre, «l'a fait une fois pour toutes en s'offrant lui-même» (7.27; cf. 9.14,28a; 10.10). Autrement dit, le sacrifice du Christ fut le don de sa propre vie jusqu'au bout par amour pour nous, don exprimé chaque jour de sa vie terrestre mais consommé par sa mort sur le Calvaire. En donnant ainsi sa propre existence (son «sang»), le Fils a offert un sacrifice plus excellent (9.23), un sacrifice unique (10.12), seul capable d'obtenir le pardon (9.9; 10.1,4,11) et de fonder une nouvelle alliance (9.15). Du coup, tous les sacrifices de l'ancienne économie sont devenus caducs (9.10; 10.18).

De nos jours, le vocabulaire sacrificel n'a pas bonne presse chez nombre de chrétiens. D'une part, dans la langue courante le mot a pris une forte coloration moraliste et négative. Il en est venu à signifier à peu près «faire par devoir ce qu'on ne voudrait pas faire». Ou bien, là où demeure la signification cultuelle, on est offusqué par l'aspect sanglant du geste: comment un tel acte de violence contre une victime (mot provenant également du vocabulaire du culte!) peut-il se concilier avec notre Evangile de l'amour?

A ces objections on peut faire une double réponse. Premièrement, même en dehors du Christ, dans l'ancien Israël ou dans les autres religions, c'est à tort qu'on mantient que la dimension de destruction représente l'essentiel du sacrifice. L'inspiration principale de l'acte semble être la volonté d'entrer en bonnes relations avec la divinité en lui faisant un cadeau: on retire un objet ou un être particulièrement désirable du monde profane, ordinaire, et on le met à part pour Dieu. Comme il n'y a pas mille façons d'exprimer l'appartenance de quelque chose au Dieu invisible, habituellement on fait disparaître la réalité sacrifié d'une manière ou d'une autre: on verse le vin, on brûle les fruits, on mange l'agneau… On peut certes soutenir qu'au cours des âges, des éléments moins louables, dus à l'opacité des humains et à leur façon souvent erronée de concevoir la divinité, ont pu se greffer sur l'institution du sacrifice. Néanmoins, la signification de base semble bien être un échange de dons en vue de créer ou de renforcer une communion.

Ceci dit, il faut ajouter que dans le cas du Christ, la réalité humaine du sacrifice est transfigurée, c'est-à-dire en même temps

purifiée de toute ambiguïté ou perversion et dotée d'une signification nouvelle et transcendante. Premièrement, si nous appliquons
la terminologie du culte au Christ, nous devons dire qu'il est en
même temps *prêtre* et *victime* de son sacrifice: il se donne lui-même.
Ici donc, l'élément de violence est encore moins présent qu'ailleurs.
L'activité de ses bourreaux fournit à Jésus l'occasion extérieure
d'un don total de sa personne mais ne le constitue point: les juifs et
les romains qui mettent à mort Jésus n'ont aucun désir authentique
d'honorer Dieu en lui faisant un cadeau particulièrement agréable.
Ce qui constitue le sacrifice du Christ, c'est son *amour* infini pour
le Père et pour les humains, c'est sa volonté délibérée de donner sa
vie jusqu'à l'extrême, de consentir à toute souffrance afin de mieux
rejoindre les hommes, ses frères. Saint Jean pour sa part a compris
cela parfaitement en rapportant ces paroles du Christ:

> C'est pour cela que le Père m'aime,
> parce que je donne ma vie,
> pour la reprendre.
> Personne ne me l'enlève;
> mais je la donne de moi-même.
> J'ai pouvoir de la donner
> et j'ai pouvoir de la reprendre;
> tel est le commandement que j'ai reçu de mon Père.
>
> (Jn 10.17-18)

Ces paroles nous indiquent une autre raison pour laquelle le sacrifice du Christ est différent des autres. En la personne du Fils, c'est
en fait le Père (son amour, son commandement) qui se donne.
Avant d'être un don fait par les hommes à Dieu, le sacrifice du
Christ est l'acte de Dieu qui s'abaisse par amour pour sauver l'humanité. Dans le Christ, Dieu se donne aux humains et l'humanité
se donne à Dieu.

En plus du vocabulaire sacrificiel, He emploie un autre langage
pour parler de cette première dimension du chemin du Christ. Le
Jour du Pardon, le grand prêtre traverse la première tente avant
d'entrer dans le Saint des Saints. «Le Christ, lui, survenu comme
grand prêtre des biens à venir, traversant la tente plus grande et

plus parfaite qui n'est pas faite de main d'homme, c'est-à-dire qui n'est pas de cette création, entra une fois pour toutes...» (9.11s). Le verbe traduit par «survenir» «est plus évocateur de l'arrivée du Christ que le simple *génoménos*, puisque les papyrus lui donne l'acception d'arriver chez soi, ou de se présenter devant le Juge pour en être entendu, et enfin "être de retour, revenir".»[3] Que cette «tente plus grande et plus parfaite» soit les cieux (cf. 9.24; 4.14; 8.2) au-dessus desquels Jésus a été élevé par sa mort (7.26), ou bien la tente de son corps[4] (Mc 14.58; Jn 2.13-22), la signification en est pratiquement identique: la carrière terrestre du Fils de Dieu, sa venue dans le monde, sa vie et sa mort sont une traversée, un passage pour ouvrir un chemin.

De là on passe, presque imperceptiblement, à la deuxième étape de cette liturgie cosmique. Le grand prêtre juif pénétrait derrière le voile et portait le sang des victimes dans le Saint des Saints. Jésus, lui, «muni de son propre sang» (9.12), sa vie donnée, «est entré...dans le ciel lui-même» (9.24). Il prend sa place à la droite de Dieu (1.3; 8.1; 10.12; 12.2) où il vit pour toujours comme intercesseur (7.24-25). A cause de sa résurrection-exaltation, de sa vie auprès de Dieu, le Christ a pu acquérir pour nous une libération éternelle (9.12b), un pardon définitif (10.11-18). Si la vie du Christ auprès du Père est la source de notre salut, cette vie d'éternité cependant prolonge et englobe sa mort sur la croix. Les évangélistes montrent le Ressuscité portant encore ses plaies. Jean utilise le verbe «exalter, s'élever» pour parler et de la mort et de la glorification de Jésus. He, pour sa part, exprime la même chose par l'image du Christ-grand prêtre qui entre dans le ciel «muni de son propre sang» (9.12).

A la fin de la liturgie, le grand prêtre sort sur le parvis du Temple pour donner la bénédiction aux fidèles. Même cet aspect est présent dans le pèlerinage du Christ:

Ainsi le Christ, après s'être offert une seule fois pour enlever les péchés d'un grand nombre, apparaîtra une seconde fois — hors du péché — à ceux qui l'attendent, pour leur donner le salut. (9.28)

Pour résumer, He décrit la carrière de Jésus, notamment son passage par la mort et son entrée dans la vie, à l'image d'une liturgie cosmique de pardon. En célébrant la liturgie du Yom Kippour, le grand prêtre parcourait un chemin dans le Temple, un chemin qui relie symboliquement l'homme et Dieu. Le Christ, lui, ouvre par son passage la Voie véritable entre terre et ciel. Avant sa venue, la voie vers le sanctuaire, c'est-à-dire vers Dieu, n'était pas encore manifestée (9.8). Maintenant, par contre, nous sommes sûrs de posséder «une voie d'accès (*eisodos*) au sanctuaire par le sang de Jésus, cette voie qu'il a inaugurée pour nous, récente et vivante, à travers le voile» (10.19-20). Le mot *eisodos* «fait songer à ces "allées" ou avenues qui conduisaient aux sanctuaires grecs et égyptiens, et où se déroulaient les processions»[5]. Mais cette Voie-ci est vivante, elle est le Fils de Dieu fait homme (cf. Jn 14.6). Grâce à l'incarnation du Fils, grâce à «sa chair» (cf. Jn 1.14), nous connaissons le Père et nous pouvons vivre pleinement en communion avec lui.

Le pèlerinage du Christ est ainsi pour nous source d'une joyeuse confiance (10.19 *parrhésia*). Il offre en plus une espérance inébranlable. Hè évoque cette espérance dans des versets qui relient admirablement le chemin du Christ et la vie des chrétiens:

> ...soyons puissamment encouragés à saisir fortement l'espérance qui nous est offerte. En elle, nous avons comme une ancre de notre âme, sûre autant que solide, et pénétrant par-delà le voile, là où est entré pour nous, en précurseur, Jésus, devenu pour l'éternité grand prêtre selon l'ordre de Melchisédech. (6.18b-20)

Ces versets résument pour He le rôle du Christ dans le dessein de Dieu. Devenu l'un de nous, mieux encore, celui qui nous représente tous, le Fils est entré, en tant qu'homme, dans la vie d'éternité, dans une pleine communion avec le Père. Dès lors, c'est comme si une partie de nous-mêmes, la plus importante, se trouvait déjà de l'autre côté. Jésus est notre *prodromos*, notre précurseur:

> Dans l'usage, *prodromos* se disait de fruits précoces (primeurs), des émissaires, des coureurs plus rapides qui se détachent des concurrents; de l'avant-garde qui vient explorer le terrain avant la venue de l'armée,

du navire rapide chargé de précéder et de guider la flotte des cargos; il entrait le premier dans le port et, en cas de tempête, il lui incombait de rechercher un ancrage sûr. La métaphore serait alors en harmonie avec celle de l'ancre (v. 19)... La nuance religieuse serait assurée du fait que le *dromos* ou «chemin de Dieu» était aussi la voie sacrée, large voie dallée qui donnait accès au Temple... Quoiqu'il en soit, «l'intervalle ne doit pas être bien grand entre le précurseur et ceux qui le suivent, autrement il ne serait pas leur précurseur. Le précurseur et les suivants sont nécessairement sur la même route; celui-là ouvre la marche, ceux-ci le pressent» (Chrysostome)[6].

Voilà notre espérance, fondée non sur un rêve ou une velléité mais sur le chemin déjà tracé par le Christ, notre grand prêtre vivant pour l'éternité, celui qui nous devance et nous conduit (cf. 2.10) à travers le voile de séparation.

Le peuple des pèlerins

L'épître aux Hébreux reprend ainsi le mouvement que nous avons discerné dans l'ensemble du Nouveau Testament: dans et par le Christ, le chemin de Dieu devient le chemin de l'humanité. En regardant maintenant la manière dont l'auteur considère les destinataires de son épître, nous arriverons au même résultat en partant d'un tout autre angle.

Tout d'abord, He ne s'adresse jamais à des individus mais toujours à la communauté des croyants. Fidèle à son enracinement biblique, pour He le vis-à-vis de Dieu est toujours *le peuple de Dieu* en tant que tel. Cette continuité avec la tradition hébraïque est renforcée par une expression caractéristique de l'épître pour décrire les fidèles: ils sont «les héritiers de la promesse» (6.17; cf. 9.15; 6.12)[7]. D'où le lien avec Abraham (6.13-15; 11.8-9) ainsi qu'avec tous les grands personnages de l'histoire du salut (ch. 11). La «promesse» et l'«héritage» sont ici synonymes du *salut* (1.14; cf. 2.3; 5.9; 9.28b) et tout proches, dans le champ sémantique de notre auteur, de *l'espérance* (6.18; 7.19): une réalité en même temps actuelle (6.4) et à venir, liée à un appel (9.15; cf. 3.1) et impliquant, comme pour Abraham (11.8s), un «tout quitter» afin d'être pèlerins avec Dieu. A l'instar des patriarches, les chrétiens en ce monde sont «les réfugiés» qui doivent «saisir l'espérance proposée» (6.18; cf. 13.14).

Aussi bien, pour He la communauté des croyants est-elle le peuple de Dieu *en route*. Certes, être chrétien, c'est être un intime (*metochos*) du Christ (3.14), un participant (*metochos*) de l'Esprit Saint (6.4), c'est avoir déjà «goûté au don céleste...et aux forces du monde à venir» (6.4-5). Cependant, dans le présent, les croyants suivent une loi de croissance (5.11ss), ils subissent des épreuves (2.18) et peuvent défaillir en chemin. En ce sens, l'expérience du peuple d'Israël sous la conduite de Moïse dans le désert reste encore actuelle. A ce titre, l'auteur d'He fait une longue réflexion sur le psaume 95 (3.7 - 4.11). Ce psaume raconte «le jour de l'épreuve» dans le désert, où le peuple s'endurcit et manque de confiance en Dieu (CD 58-61). Le Seigneur déclare que ces gens désobéissants n'entreront pas dans son repos et avertit les générations futures de ne pas agir de la même manière.

He reprend cet avertissement et l'applique à la situation des chrétiens. A eux de demeurer fermes dans la foi jusqu'au bout (3.14), de ne pas rester en arrière (4.1). Car Dieu a établi pour nous un nouvel «aujourd'hui» (4.7), un jour de repos sabbatique (4.9). L'entrée dans la Terre promise sous Josué fut seulement une figure du vrai repos reservé toujours au peuple de Dieu (4.8-9). Ce jour du repos reste devant nous, il s'approche (10.25). Le Christ y est entré pleinement (4.10; cf. 9.24; 10.11-13); par notre fidélité nous y entrons nous aussi (4.3,11).

La théologie du sabbat présentée par He permet d'intégrer toute une autre dimension de la foi d'Israël dans le pèlerinage chrétien. Le Sabbat véritable, le repos définitif, préparé par Dieu depuis la fondation du monde (4.3-4) n'est ni l'entrée en Canaan ni le septième jour de la semaine: il est le Jour du Seigneur, le terme de notre pèlerinage, l'entrée dans l'intimité de Dieu. Le Christ y est entré par son propre pèlerinage, par sa Pâque. A cet égard il importe de savoir que la fête de Yom Kippour est un jour de jeûne et de repos complet (Lv 23.26-32); dans le judaïsme il est appelé «le Jour» et aussi «le Sabbat des sabbats»[8]. Lorsque He décrit le chemin du Christ comme une liturgie cosmique de réconciliation, il montre par là qu'en sa compagnie nous entrons dans le Sabbat véritable, jour d'une parfaite communion entre l'homme et Dieu. Du coup certains gestes de Jésus, notamment ses guérisons le jour du sabbat, prennent une toute autre portée. Véritable Maître du sabbat, Jésus ne viole ni ne néglige la Torah même au moindre degré: il l'accomplit en vérité.

Enfin, pour He la communauté des croyants, peuple de Dieu en marche, est une *communauté du culte*. Comme Israël dans le désert, les fidèles forment un *qahal*, une *ekklésia*, une assemblée convoquée par le Seigneur pour entrer en relation avec lui. Nous avons déjà insisté longuement sur la dimension liturgique de cette épître. Si Jésus est notre grand prêtre, nous sommes sa congrégation. Par le don de sa personne, par son sacrifice, il nous a sanctifiés (10.10; cf. 2.11) et nous a rendus parfaits (10.14). Le mot qu'on traduit par «rendre parfait», d'ailleurs, était utilisé pour la consécration sacerdotale (cf. 5.9)[9]. Nous sommes désormais un peuple saint (cf. 6.10), un peuple de prêtres propre à offrir un culte authentique au Dieu vivant (9.14; cf. 12.28), un sacrifice de louange et de partage (13.15-16). A cause du Christ, nous pouvons «nous approcher avec pleine assurance du trône de la grâce, afin d'obtenir miséricorde et de trouver grâce» (4.16). Le verbe «s'approcher» fait partie du vocabulaire cultuel: notre pèlerinage est ainsi en même temps une procession liturgique (cf. 7.19,25; 10.1,22; 11.6).

C'est ici qu'intervient un autre parallèle. De la même façon que le Christ accomplit la liturgie de réconciliation dont le Yom Kippour juif fut une esquisse, l'*ekklésia* chrétienne revit pour son compte l'établissement de l'alliance au Sinaï sur un tout autre plan:

> Vous ne vous êtes pas approchés d'une réalité palpable: feu ardent, obscurité, ténèbres, ouragan, bruit de trompette, et clameur de paroles... Mais vous vous êtes approchés de la montagne de Sion et de la cité du Dieu vivant, de la Jérusalem céleste, et de myriades d'anges, réunion de fête, et de l'assemblée des premiers-nés qui sont inscrits dans les cieux,

d'un Dieu juge universel, et des esprits des justes qui ont été rendus parfaits, de Jésus médiateur d'une alliance nouvelle, et d'un sang purificateur plus éloquent que celui d'Abel. (12.18-24)

De même, He oppose «le sang des jeunes taureaux et des boucs», utilisé par Moïse pour inaugurer l'alliance du Sinaï (9.18ss), au sacrifice du Christ, seul vraiment efficace. Dans les deux cas, il y a une progression d'une réalité matérielle et terrestre à une réalité spirituelle et céleste, d'un symbole à ce qu'il signifie véritablement. Toutefois, ce changement de plans se passe sans solution de continuité. Les chrétiens sont à la recherche de la «cité future» (13.14). Or, les patriarches recherchaient cette même patrie céleste (11.13-16) et Moïse lui-même agissait comme quelqu'un qui voit l'Invisible (11.27). Le principe de cette continuité est la *foi*, «garantie des biens que l'on espère, preuve des réalités qu'on ne voit pas» (11.1). Croire, c'est vivre déjà en fonction d'un autre avenir, c'est traduire dans le quotidien d'une existence apparemment ordinaire quelque chose du monde de l'invisible, c'est-à-dire de la réalité du Dieu vivant. Bref, c'est être pèlerin de l'absolu, sans patrie en ce monde.

Cette notion des chrétiens comme pèlerins est un thème majeur d'un autre écrit du Nouveau Testament, la première lettre de PIERRE. L'apôtre exhorte les fidèles, «comme des étrangers (*paroikoi*) et des gens de passage (*parepidémoi*)» (1 P 2.11) dispersés de par le monde (1.1)[10]. Sur cette terre ils ne sont pas chez eux: leur existence est un séjour (*paroikia*) sur une terre étrangère (1.17). A cet égard il est intéressant de noter que notre mot «paroisse» vient de la même racine: par son étymologie il signifie la demeure de ceux qui sont en pèlerinage, la maison pour des hommes et des femmes sans racines là où ils vivent.

La lettre de 1 P s'adresse à des chrétiens issus pour la plupart du paganisme. Autrefois, écrit l'auteur, vous suiviez aveuglement vos convoitises (1.14; 4.3s), votre manière de vivre ne menait nulle part (1.18), vous étiez «égarés comme des brebis» (2.25). Mais voilà que maintenant, à cause de la résurrection du Christ, vous avez été «engendrés à nouveau pour une vivante espérance» (1.3) par une semence incorruptible, la Parole de Dieu (1.23), l'Evangile (1.25).

Comme des enfants nouveau-nés (2.2), les baptisés sont entrés dans une vie nouvelle. Désormais ils suivent les traces du Christ (2.21 ; cf. 3.18). Ils sont devenus un peuple saint, la maison de Dieu bâtie de pierres vivantes (2.4-10), une communauté qui vit de l'amour fraternel (1.22 ; 3.8 ; 4.8) et qui accepte même de souffrir pour le nom du Christ (4.12-19), imitant ainsi son comportement (2.19-24). La manière de vivre des baptisés doit être un signe pour ceux qui n'ont pas encore accueilli la foi, afin qu'ils découvrent et glorifient le Dieu véritable (2.12-15 ; 3.1,16).

Dans la lettre aux Ephésiens, l'auteur avait écrit aux païens venus à la foi qu'ils n'étaient plus des étrangers et des gens de passage (*xenoi kai paroikoi*) mais concitoyens des saints et de la maison de Dieu (Ep 2.19). Pierre souligne également le fait que les anciens païens sont maintenant «de la maison» (2.5 ; 4.17) mais cela n'implique pas pour autant qu'ils cessent d'être des pèlerins. Au contraire, par le baptême se sont rompus les liens avec un monde voué à la disparition (cf. 4.7) et ils sont introduits sur le chemin de Dieu tracé au cœur de l'histoire, telle une trouée de lumière, par le passage pascal du Christ.

Une morale pour la route

L'épître aux Hébreux pour sa part décrit la communauté chrétienne comme un peuple de pèlerins engagé sur le chemin du Christ, notre guide (He 2.10 ; 12.2) et notre berger (13.20). Toute une morale découle de cette conception profondément biblique de la vie de foi. C'est le but même de l'épître : exhorter les fidèles à rester sur ce chemin en allant toujours de l'avant. Ce but dicte les conseils pour le comportement des chrétiens, les qualités à encourager et les défauts à blâmer. Il fonde la règle de vie des croyants.

Si la vie chrétienne est un pèlerinage, la seule chose grave c'est de quitter le chemin, c'est de défaillir en cours de route. Pour He c'est là le péché fondamental[11], le risque à éviter par tous les moyens. Pour décrire cette possibilité avec précision, He recourt au verbe *pararreo* (2.1), souvent utilisé pour les bateaux et signifiant «aller à la dérive, couler, tomber au long de». L'image est celle de quitter la voie tracée et de faire fausse route. Le préfixe «*para-*», qui peut porter en grec la signification «à côté (de)», fournit d'ailleurs plusieurs expressions pour le vocabulaire du péché en He: *parabasis* (lat. *transgressio*, aller à côté, au delà; outrepasser les bornes: 2.2; 9.15), *paraiteomai* (supplier; refuser; excuser: 12.19.25), *parakoè* (ce qui a été mal entendu; refus d'entendre; désobéissance: 2.2), *parapiptô* (tomber à côté, en dehors; dévier en tombant: 6.6), *parapheromai* (être porté à côté, au delà; s'égarer: 13.9). Pécher, c'est être «à côté». C'est également errer, s'égarer (*planaô*: 3.10; 5.2), se retirer (*hypostellomai*: 10.38,39), se détourner (*apostrephomai*: 12.25), laisser tomber, déserter l'assemblée (*engkataleipô*: 10.25), c'est encore rester en arrière, se distancer, se soustraire à la grâce de Dieu (*hystereô*: 4.1; 12.15). Et de son commentaire du psaume 95 notre auteur tire une autre image: le contraire de la vie avec Dieu, c'est l'endurcissement du cœur (3.8,13), le refus d'écouter «aujourd'hui» la voix de Dieu et de la suivre (cf. 12.25). Deux synonymes conviennent parfaitement à ceux qui délaissent ainsi le chemin pour s'installer dans l'autosuffisance: l'*apistia* (3.12,19) et l'*apeitheia* (4.6,11), l'absence de confiance.

La vie de foi, par contre, est une progression continue, une croissance perpétuelle; le retour en arrière est formellement impossible (6.4ss). He a un très beau mot pour décrire l'essentiel de cette vie, *parrhésia*, dont la traduction habituelle, «assurance», ne donne qu'un faible écho de sa riche signification. La *parrhésia*, c'est l'attitude de joyeuse confiance et de liberté, presque d'insouciance, de celui qui se sait profondément chez soi, aimé, tel un enfant qui joue et qui court de pièce en pièce d'une vaste maison où il a toujours passé ses vacances. Le mot évoque la même attitude exprimée par la parole «Abba» sur les lèvres de Jésus: la confiance engendrée par l'amour, source d'un fort élan pour aller de l'avant. On se sait libéré de toute nécessité de se défendre, de se justifier et de prouver quoi que ce soit, on est par conséquent libre de devenir toujours plus ce qu'on est au cœur de son cœur.

A cause de la venue du Christ et du don de sa vie, nous avons cette *parrhésia* par laquelle nous entrons en pleine communion avec

Dieu (10.19) et avançons vers lui (4.16). Néanmoins cette attitude, fruit de la foi, n'est pas pour autant automatique, on peut la perdre. D'où les exhortations réitérées de notre auteur d'y rester attachés. «Ne perdez donc pas votre *parrhésia*» (10.35). Nous sommes la maison de Dieu, «pourvu que nous gardions la *parrhésia* et le *kauchéma* de l'espérance» (3.6). Le mot *kauchéma*, souvent traduit par «fierté», a un sens très proche de *parrhésia*. Il signifie ce dont nous pouvons nous vanter, en d'autres termes la source de notre joie et de notre confiance. He exhorte les fidèles à rester accrochés à cette source et à y boire constamment, c'est la condition essentielle de notre identité chrétienne.

C'est en ce sens que, pour He, la foi est quasi synonyme de la fidélité. Pour être pleinement elle-même, elle ne peut allumer des feux de paille, elle doit s'inscrire dans la continuité de l'existence. Dans la vie pérégrinante une valeur primordiale est accordée à la *persévérance* (*makrothumia*), à l'*endurance* (*hypomoné*). Il faut s'agripper fortement à la foi que nous confessons (4.14; cf. 12.28). Comme ce fut le cas pour Abraham et les autres fidèles du passé, seuls ceux qui persévèrent jusqu'à la fin hériteront le salut promis (6.12-15).Nous avons donc besoin d'endurance (10.36) surtout au moment des épreuves (12.7), car si nous restons fidèles celles-ci nous façonneront toujours davantage à l'image du Fils (12.5-13), lui qui à son tour a dû passer par l'épreuve afin d'exprimer dans une vie d'homme les profondeurs de la miséricorde du Père (2.17-18; 4.15; 5.7-9).

Comment être fidèle jusqu'à la fin? He indique une piste: retourner au commencement. «Rappelez-vous les premiers jours» (10.32), «tenons fermement jusqu'à la fin notre confiance initiale» (3.14). Il s'agit de retourner sans cesse à la source, à cette rencontre initiale avec Dieu où tout a été donné. Ce mouvement n'est pourtant pas une régression, un retour en arrière, car le don accordé au début fut celui d'une espérance (6.18), une espérance qui doit s'épanouir jusqu'à la fin (6.11; cf. 10.23). L'attention aux autres qui marchent sur le même chemin est un autre soutien de la persévérance: «Faisons attention les uns aux autres pour nous stimuler dans la charité et les œuvres bonnes…imitez ceux qui, par la foi et la persévérance, héritent des promesses» (10.24; 6.12b). Le fait de savoir qu'on n'est pas seul, que d'autres (et avant tout le Christ lui-même) ont connu et connaissent les mêmes difficultés et tentations, tout en restant fidèles, donne du courage pour affronter le combat de la vie spirituelle (cf. 12.3-4). Mais en fin de compte, la source véritable de la persévérance du baptisé est la fidélité de Dieu (10.23). Vivre par la foi (cf. 10.38), c'est agir en fonction de cette fidélité, c'est croire en Celui-qui-vient et vivre dans la certitude de ses promesses. La foi rend l'avenir présent et donne de voir l'invisible (cf. 11.1).

L'auteur d'He résume admirablement sa vision de la vie chrétienne en reprenant l'image paulinienne de la course. Pour lui, elle est avant tout une épreuve d'endurance. Ce qui permet de tenir, c'est la présence de la communauté des croyants traversant les siècles et, avant tout, la relation avec le Christ Jésus, lui qui a déjà tracé le chemin et qui nous accompagne vers le but. Cette image permet de relier effort humain et activité de Dieu dans le Christ, responsabilité personnelle et présence des autres, foi comme un cheminement et péché comme ce qui entrave et retient:

Ainsi donc, nous aussi, qui avons autour de nous une telle nuée de témoins, rejetons tout fardeau et le péché qui sait si bien nous entourer, et courons avec endurance l'épreuve qui nous est proposée, les regards fixés sur celui qui est l'initiateur de la foi et qui la mène à son accomplissement, Jésus, lui qui, renonçant à la joie qui lui revenait, endura la croix au mépris de la honte et s'est assis à la droite du trône de Dieu. Oui, pensez à celui qui a enduré de la part des pécheurs une telle opposition contre lui, afin de ne pas vous laisser accabler par le découragement. (12.1-3 TOB)

POUR LA RÉFLEXION

1. Comment la figure de Melchisédech (Gn 14; Ps 110; He 7) nous aide-t-elle à mieux comprendre la personne et la mission du Christ Jésus?

2. He utilise le terme de «sacrifice» (He 10.12) pour décrire le don de sa vie fait par le Christ en vue de nous accorder le pardon. Comment cette épître nous fait-elle ainsi comprendre le sens véritable du sacrifice? Quel est notre «sacrifice» en tant que disciples du Christ (voir aussi Rm 12.1-2; He 13.15-16)?

3. L'épître aux Hébreux élabore toute une théologie du sabbat (He 3.7 - 4.11). Où voyons-nous des germes de cette théologie dans la vie terrestre de Jésus racontée dans les évangiles?

4. Devons-nous vivre aujourd'hui «comme des étrangers et des gens de passage» (1 P 2.11), des pèlerins en ce monde? Comment? Pourquoi?

5. He a recours aux mots «assurance» (parrhésia: He 3.6; 4.16; 10.19,35) et «persévérance» (makrothumia: 6.12,15), «endurance» (hypomoné: 10.36; 12.1; cf. 12.7) pour décrire les valeurs fondamentales de la vie chrétienne. Quelle est la signification de ces expressions pour notre pèlerinage de foi? Comment les traduire autrement pour les rendre plus accessibles?

NOTES DU CHAPITRE VII

1. C. SPICQ, O.P., *L'Epître aux Hébreux* (Sources Bibliques), Gabalda, 1977, p. 56.

2. Comme nous le verrons ailleurs, He emploie d'autres images et comparaisons scripturaires pour décrire la carrière de Jésus: Moïse et l'établissement de l'alliance du Sinaï, Melchisédech et le psaume 110, etc. Mais la métaphore du grand prêtre qui célèbre la liturgie du Jour du Pardon semble être l'image dominante.

3. SPICQ, p. 152-153.

4. Cf. 10.5ss où, par l'application au Christ du psaume 40 cité d'après la Bible grecque, l'auteur oppose les sacrifices de l'ancienne économie au corps du Christ façonné par Dieu. En tout cas, par l'emploi de l'expression *ou cheiropoiétos*, «pas fait à la main», l'auteur rejoint la tendance permanente de la foi d'Israël de ne pas fixer le Dieu-pèlerin en un endroit précis (cf. Ac 7.47-50; 17.24). Si la «tente meilleure» ici signifie en fait le corps du Christ, He va encore plus loin: Dieu n'est pas seulement au-delà du fini, cet au-delà est incarné au plein cœur de l'histoire humaine par le pèlerinage de son Fils, lieu de rencontre entre l'humanité et son Créateur. La vieille opposition entre la transcendance et l'imminence est dès lors définitivement dépassée.

5. SPICQ, p. 170.

6. SPICQ, p. 116.

7. Ernst KÄSEMANN, *Das wandernde Gottesvolk: Eine Untersuchung zum Hebräerbrief*, Vandenhœck et Ruprecht Göttingen, 2e éd. 1957, p.11-18, analyse le vocabulaire de la promesse en He. Pour lui, la notion du «peuple de Dieu en route» est une clef pour l'interprétation de l'épître. Malheureusement le livre, malgré des intuitions géniales, s'appuie trop sur la thèse d'un prétendu emprunt par He d'un schéma tiré des mythes gnostiques pour être pleinement convaincant. Des cercles gnostiques ne pourraient-ils pas avoir adapté à leurs propres besoins des éléments de doctrine chrétienne?
Un commentaire américain récent utilise également le thème du pèlerinage comme base pour la compréhension d'He: Robert JEWETT, *Letter to Pilgrims: A Commentary on the Epistle to the Hebrews*, New York: The Pilgrim Press, 1981.

8. Joseph KALIR, *Introduction to Judaism*, Washington DC: University Press of America, 1980, p. 15-17.

9. TOB, note *h* sur He 5.9, p. 680.

10. Les deux mots *paroikoi* et *parepidémoi* font partie du vocabulaire de l'antiquité pour décrire ceux qui ne se trouvent pas chez eux, qui ne sont pas citoyens du pays avec tous les droits que cela implique. Plus exactement, le *paroikos* est l'étranger qui réside pour plus ou moins longtemps dans un pays; quoique non citoyen, il a certains droits reconnus. Le *parepidémos*, expression plus rare, se réfère à des voyageurs, des visiteurs de passage qui ne

restent pas. Voir John H. ELLIOTT, *A Home for the Homeless: A Sociological Exegesis of I Peter, Its Situation and Strategy*, Philadelphia: Fortress Press, 1981, p. 21-58. Pour cet auteur, les destinataires de 1 P ne sont pas des étrangers et pèlerins d'une façon métaphorique ou spirituelle mais de véritables étrangers, des gens déracinés qui ont accueilli l'Evangile. La lettre veut leur montrer que leur condition n'est pas à plaindre mais qu'elle les aide à mieux comprendre la foi qu'ils professent: sociologiquement des déracinés, des marginaux, ils sont en fait «de la maison de Dieu» (2.5; 4.17). — Pour la terminologie d'«étrangers et pèlerins» voir aussi C. SPICQ, O.P., *Vie chrétienne et pérégrination selon le Nouveau Testament* (Lectio divina 71), Cerf, 1972, p. 59-76.

11. KÄSEMANN, p. 24-27, remarque qu'He s'intéresse non pas au péché en général, encore moins au «péché originel», mais uniquement à celui des baptisés, de ceux qui marchent déjà sur le chemin de Dieu.

VIII

Les péripéties du désir

A la fin d'un long trajet, il peut être utile de nous orienter en reprenant d'un autre point de vue la compréhension de la foi comme un pèlerinage, comme un chemin à parcourir, et le rôle des Ecritures comme une source qui nourrit cette vision.

Commençons cette fois-ci simplement avec l'être humain tel qu'il apparaît dans le monde, sans préjugés ni a priori.

A sa naissance cet être est placé presque entièrement sous le signe de la virtualité. Des possibilités quasi illimitées se présentent à lui, il reçoit en héritage un univers matériel et spirituel infini. A cet égard, même sans professer une foi explicite, quiconque réfléchissant tant soit peu sur la merveille qu'est l'être humain peut souscrire aux paroles du psalmiste: «A peine le fis-tu moindre qu'un dieu; tu le couronnes de gloire et de beauté, pour qu'il domine sur l'œuvre de tes mains; tout fut mis par toi sous ses pieds» (Ps 8.6-7).

C'est précisément cette gamme de possibilités offerte à l'être humain qui est l'autre face de son caractère ouvert, incomplet. En effet, par rapport à l'homme, les autres êtres vivants sont nés d'une façon plus «achevée». Très vite l'oisillon, le poulain entre dans le plein exercice de tous ses pouvoirs. L'enfant, par contre, est plus démuni, plus vulnérable, il lui faut de longues années avant d'arriver à sa maturité, et on peut même dire que plus large est le champ de son activité, plus longue sera pour lui la période d'apprentissage.

En ce qui concerne la vie spirituelle, couronne de l'existence humaine, le sommet est-il jamais atteint?

La dignité éminente de l'être humain est ainsi liée inséparablement à son caractère incomplet, à sa vulnérabilité foncière. Mais il n'est pas seulement né inachevé, il porte en lui une volonté de grandir, d'actualiser ses virtualités, d'élargir son univers dans toutes ses dimensions. De par sa constitution même, l'homme est un être qui a une histoire, un être-en-route. Sa vie consiste dans une prise de conscience progressive de tout ce qui est en lui et autour de lui, à travers une relation de symbiose avec son milieu. Lentement, à partir de ses dons innés et des échanges incessants avec son environnement, son identité se forge, il devient une personne en relation avec d'autres, un microcosme du monde.

En même temps, il importe de se rendre compte qu'en soi, la constitution dynamique de l'être humain reste ambiguë, son chemin n'est pas une simple montée paisible vers la lumière. Cette ambiguité se présente de plusieurs façons, et donne à la vie humaine sa dimension proprement morale, parfois même tragique.

D'une part, la processus de maturation n'a rien d'inéluctable mais fait appel à l'intelligence et à la volonté du sujet. Il implique une série de choix explicites ou implicites, et chaque choix détermine en partie les suivants. Ce que nous faisons aujourd'hui rend les tâches de demain soit plus faciles soit plus difficiles, nous oriente dans un sens ou dans un autre. Et il est bien possible de se tromper: aveuglés par son éclat superficiel, sa plausibilité apparente, il nous arrive de suivre la voie de la facilité qui ne mène pas à un élargissement d'horizons mais à un rétrécissement, à une satisfaction à bon marché, en définitive illusoire.

Le rétrécissement des horizons n'est pas toujours le résultat d'une erreur intellectuelle, il peut provenir également d'un manque de courage moral. Délaisser le familier pour un monde encore inconnu ne va jamais de soi. Le fait de voyager comporte toujours un risque et, face à chaque invitation que la vie nous offre de la connaître plus à fond, la peur peut l'emporter sur le désir de découvrir l'univers au sein duquel on est né et d'y vivre d'une manière appropriée. Ainsi la croissance d'un être humain prend-elle souvent davantage la figure d'une lutte contre des résistances intérieures et extérieures que celle d'un épanouissement prévisible et progressif.

Le milieu dans lequel on vit et grandit renforce pour sa part le caractère ambigu du dynamisme humain. La société humaine prend forme à partir d'innombrables décisions personnelles qui remontent loin dans le temps et qui accumulent comme un sédiment, une couche d'humus sur notre paysage actuel. Toute civilisation a ses habitudes préférées, ses idées fixes, ses valeurs propres qui ou bien favorisent ou bien interdisent le développement intégral de l'être humain. Ceux qui ont le malheur de naître dans un contexte particulièrement réfractaire à de nouvelles lumières auront encore plus de mal à faire des choix qui permettront à leur liberté de grandir et de se développer correctement, tant il est vrai que nous sommes dépendants les uns des autres en tout ce qui touche à la vie sur cette planète. A cet égard, l'avertissement que les fautes des pères retomberont sur les enfants, les petits-enfants et les arrière-petits-enfants garde toute son actualité.

Pour résumer, la constitution de l'être humain, sa dignité incomparable, se traduit par le fait qu'il n'est pas né tout fait mais qu'il est un être-en-route qui doit collaborer à sa propre création. Il a en lui et autour de lui ce qu'il lui faut pour partir à la recherche de son humanité intégrale; il a, en plus, le désir de le faire. Cependant, en tout cela il n'y a rien d'automatique. Plutôt que de se confronter avec la réalité du monde et de lui-même, l'être humain peut choisir de fermer les yeux, ou plus probablement de les garder mi-clos, de laisser la force de son désir se diluer dans une recherche de simulacres et d'expédients. Il peut préférer son confort ou l'approbation des autres à l'apprentissage ardu de la réalité. Il peut tout simplement être leurré ou désorienté: après tout, comment trouver son chemin au milieu des influences qui l'assaillent de toutes parts, comment faire des choix authentiques? La réalité existe-t-elle, ou sommes-nous définitivement emprisonnés dans un jeu d'apparences?

Le cadre le plus vaste qui soit

Si telle est la condition humaine, il est évident qu'elle comporte en même temps grandeur et tragédie, elle est une invitation au dépassement et une énigme à résoudre. Un des grands mérites de ce qu'on appelle la religion a toujours été de pressentir que cette énigme ne peut être définitivement résolue pour qui reste sur le plan purement humain: la Réalité elle-même, la Réalité absolue, doit révéler son secret. La paradoxe de la religion, c'est que laissé à lui-même, l'être humain ne trouve pas son plein épanouissement; il ne connaît une plénitude qu'en relation avec un ordre supérieur. En même temps, force est de constater qu'on peut envisager de nombreuses façons cet ordre supérieur, cette Réalité ultime, et ses conséquences pour l'existence humaine. La plus cruelle des ironies serait que la religion, au nom des prétendus droits de la divinité, vienne freiner le dynamisme naturel de l'être humain, son aspiration à la plénitude de l'être, sa soif de bonheur. La tragédie de l'Occident ne s'exprime-t-elle pas dans le fait que certains ont cru maintenir que, pour que l'homme puisse grandir et parvenir à sa maturité, il était nécessaire de proclamer la mort de Dieu, tel un patriarche tyrannique, jaloux de la liberté de ses enfants? Tragédie plus grave encore: là où elle a été consommée, la mort du père n'a manifestement pas prélude au meilleur des mondes possibles pour les fils mais bien plutôt à une perte de continuité historique, à un lent amenuisement de l'espérance véritable et à une évacuation de la profondeur de l'existence, bref à la mort de l'homme.

Gardons-nous toutefois d'identifier la grande tradition judéo-chrétienne avec ses contrefaçons. Dans ces chapitres, et dans un livre précédent, notre fil conducteur a été de découvrir comment le message des Ecritures judéo-chrétiennes répond aux exigences de l'esprit humain et les porte à leur accomplissement. Loin de freiner le dynamisme de la vie, la Bible nous décrit le chemin de Dieu lui-même, le Dieu-pèlerin. Si l'homme est donc un être-en-route, en cela précisément il se rapproche davantage encore de son Créateur. Les Ecritures hébraïques révèlent le chemin de Dieu à travers l'existence d'un peuple: peu à peu, dans l'histoire humaine, le visage de Dieu se précise et le pèlerinage humain reçoit par là une orientation et une garantie. L'appel du Dieu-pèlerin remet l'homme sur la seule voie qui ne s'ensable pas tôt ou tard dans l'isolement et le rétrécissement, et la vie authentique consiste dès lors dans l'imitation de Dieu, dans la tentative de suivre ses traces.

Dans la période qui précède le Nouveau Testament, le chemin de Dieu reste l'objet d'un discernement. Il est présent en filigrane dans les événements de la vie du peuple d'Israël, il se transmet par des récits, il est codifié dans un enseignement, la Torah — mais il n'apparaît que fugitivement à la surface de l'histoire. En Jésus-Christ, par contre, le chemin de Dieu prend figure humaine, il s'identifie avec la vie et la mort d'un homme parmi les hommes. Du coup l'imitation devient pleinement possible, on peut mettre ses pas dans les pas de Dieu. Plus encore, par la résurrection du Christ et le don sans mesure de son Esprit, le chemin de Dieu devient intérieur à l'humanité dans son ensemble. L'ancienne prophétie d'une nouvelle alliance, d'une Torah écrite sur les cœurs, devient réalité, et le pèlerinage de Dieu en ce monde se concrétise dans l'existence d'une communauté aux visées universelles. En ce sens, l'Eglise chrétienne représente l'aboutissement du dessein de Dieu: Corps du Christ, elle est le lieu où le Mystère de Dieu rejoint pleinement la réalité de l'homme, et par là elle ouvre au maximum les horizons de l'être, elle offre un contexte authentique pour le plein épanouissement de la créature humaine.

Lorsque l'Eglise se tourne vers ses livres saints pour se ressourcer, elle redécouvre son identité comme un peuple en route. Elle se comprend comme une communauté qui actualise le pèlerinage pascal de son fondateur et, ce faisant, traduit le chemin de Dieu dans le concret de l'histoire humaine. L'Eglise ne représente certes pas l'aboutissement du dessein de Dieu en tant qu'institution immobile et suffisante qui aurait pour finalité sa propre survivance, mais comme témoin du Christ et de son Royaume, comme signe dressé, devant l'ensemble de l'humanité, de l'amour divin qui s'est fait chair. Autrement dit, l'Eglise devient pleinement elle-même, la «cité à venir» (He 13.14), la «Jérusalem nouvelle» (Ap 21) qui fait irruption dans notre aujourd'hui, quand elle vit en profondeur sa vocation d'être un peuple de pèlerins.

La Bible ne nous donne pas de réponse toute faite à nos interrogations sur le sens et les problèmes de notre existence. Mais elle situe notre vie, avec toutes ses limites et ses impossibilités, dans le cadre le plus vaste qui soit. Au commencement de ce chapitre nous avons essayé de décrire l'existence humaine comme une tentative permanente d'actualiser ses possibilités, d'élargir son univers. En même temps, nous avons constaté les difficultés de cette entreprise. Or, la Bible nous offre comme l'horizon ultime de notre activité, le chemin de Dieu qu'elle trace nous indique les contours définitifs de l'existence humaine. Et ceci, sans pour autant limiter notre liberté ou la déterminer à l'avance, puisque ce chemin n'est pas une liste de devoirs, un programme à mettre en pratique mais une Vie dans laquelle on entre, une Vie de communion.

En d'autres termes, en méditant les Ecritures nous sommes invités à prendre notre place dans une grande épopée, un drame qui a commencé lorsqu'un Dieu inconnu rencontra Abraham sur son chemin et l'invita à le suivre vers la terre de la promesse. L'art du dramaturge canalise les énergies et les talents des acteurs sans enlever leur créativité, il donne un sens à leur contribution en la situant dans un cadre plus large. De même, la foi oriente et donne sens à notre existence; elle n'abolit pas nos dons humains mais les situe dans un cadre universel.

Ainsi, le croyant n'est pas limité par les valeurs et les usages de son milieu: il bénéficie de l'expérience millénaire des hommes en relation avec leur Dieu. A lui pourtant de réussir l'intégration difficile entre les requêtes de son temps et la grande tradition judéo-chrétienne. Il n'est pas non plus obligé de compter uniquement sur ses forces personnelles: d'une part il reçoit le soutien d'une communauté, de l'autre il sait que l'Esprit Saint, l'énergie même de Dieu, sous-tend et dirige ses propres efforts. Car à la différence d'une œuvre théâtrale ou cinématographique, le rôle du croyant n'est pas transcrit à l'avance sur un scénario. C'est à lui de l'élaborer jour après jour sous la mouvance de l'Esprit, par la prière, l'écoute de la Parole et la vie au sein d'une communauté de foi. Le pèlerinage judéo-chrétienne possède ainsi un caractère plus dramatique encore que l'art humain. Ses grandes lignes ont été tracées, notamment par le passage pascal du Christ, sa fin heureuse est assurée par la Bonne Nouvelle de la résurrection, mais à l'intérieur de ce cadre tout est à inventer, par la confrontation avec les exigences de la vie, dans chaque aujourd'hui de Dieu.

Participer au drame du salut

De tous les livres du Nouveau Testament, c'est sans doute le dernier qui fait le mieux comprendre ce caractère dramatique de la révélation biblique. Loin d'employer la simple description des événements passés ou le langage pragmatique de l'exhortation, l'auteur de l'APOCALYPSE (Ap) a recours à des images fortes, inoubliables et souvent énigmatiques pour traduire le pèlerinage de la foi. Par là il fait découvrir, sous la surface des événements, le vrai enjeu de l'histoire du salut; il révèle le drame de la création dans toute son ampleur.

Ap a souvent été lu comme une description plus ou moins littérale de l'avenir, de la «fin du monde» imminente. A vrai dire, plutôt que de décrire des événements futurs, son intention est d'éclairer les *profondeurs* de l'histoire, de dévoiler sa signification ultime et transhistorique. C'est pour cette raison que les images et les symboles de ce livre ont pu être appliqués à des événements historiques les plus divers. Au lieu de prendre la divergence parmi les commentateurs d'Ap pour un indice de confusion mentale chez l'auteur du livre, ne devrions-nous pas voir cette diversité comme un témoignage de sa perception de l'unité du dessein de Dieu par-delà toutes les étapes successives?

Une investigation complète d'Ap n'entre pas dans la visée de ce livre[1]. Nous nous contenterons d'indiquer la structure générale du texte et de choisir, à titre d'exemple, quelques images qui renforcent les découvertes de notre pèlerinage à travers les livres du Nouveau Testament.

La trame d'Ap est fournie par quatre séries de sept réalités symboliques: sept lettres, sept sceaux, sept trompettes, sept coupes.

Les quatre blocs narratifs ainsi composés tracent, avec une précision croissante, la révélation progressive du dessein de Dieu. La relation entre les quatre septénaires n'est pas d'ordre chronologique; elle fait plutôt songer au prologue de l'évangile de Jean (Jn 1.1-18). La progression consiste dans un mouvement d'une relative indétermination à une plus grande précision, un peu comme un objectif photographique ou un télescope que peu à peu on met au point[2].

Les quatres symboles — adresser des lettres, desceller un livre, sonner des trompettes, répandre des coupes — décrivent tous la transmission de quelque chose, avec peut-être une note d'urgence toujours plus accusée. Dans le cas des trois premiers, il s'agit clairement de la communication d'un message, mais là encore avec une immédiateté grandissante. D'abord ce sont des lettres pour blâmer et pour encourager les «sept Eglises», symbole de la totalité du peuple de Dieu. Ensuite, lorsque les sceaux du livre sont rompus, cet acte se traduit aussitôt dans des événements de l'histoire du salut décrits symboliquement. Puis l'acte de sonner une trompette indique l'annonce d'une réalité imminente de grande portée. Enfin, la dernière image évacue complètement le côté intellectuel pour nous mettre devant la réalité nue: il s'agit d'une coupe, image biblique qui relie admirablement les deux faces du jugement divin, épreuve et bénédiction[3].

Dans le déroulement du drame d'Ap, les destinataires de «la révélation de Jésus Christ» (Ap 1.1) sont ainsi impliqués toujours plus intimement: «le mystère de Dieu» (10.7) descend du ciel sur la terre, il sort des lettres et du livre pour nous rencontrer personnellement. Or, pour inverser l'image, l'expérience ressemble à celle qu'on a en lisant un bon roman à suspense ou en regardant une pièce de théâtre réussie: à un moment donné, toute distance est abolie et on entre pleinement dans ce qui auparavant n'était que des mots sur une page devant soi ou des acteurs sur la scène. A la différence près qu'ici, il ne s'agit nullement d'un effet psychologique créé par l'art d'un romancier ou d'un dramaturge mais d'un mouvement objectif, réel, fruit de l'activité de Dieu. Dieu vient vers l'homme, son chemin devient peu à peu le nôtre, puis arrive le jour où nous prenons conscience de notre rôle dans son histoire et où nous nous mettons à l'assumer. Quelle meilleure illustration de l'art créateur du dramaturge, d'ailleurs, que l'activité de Dieu! A partir de rien il crée des personnes libres avec lesquelles il peuple son œuvre, œuvre qui n'est rien de moins que sa propre vie, la voie sur laquelle il marche.

L'expérience du lecteur d'Ap reflète ainsi le déroulement de toute l'histoire du salut, la même réalité qu'un saint Jean décrit comme le passage de «la Loi» à «la grâce et la vérité» (Jn 1.17) et un saint Paul, comme celui de «la lettre» à «l'Esprit» (2 Co 3.6ss). Pour Ap comme pour l'ensemble du Nouveau Testament, ce qui rend possible ce passage, c'est la venue parmi nous du Christ Jésus, et notamment son chemin pascal qui passe par la mort pour entrer dans la plénitude de la vie.

Encore une fois, la relation entre les quatre blocs narratifs d'Ap n'est pas d'ordre chronologique, mais offre une précision et une actualisation grandissantes du chemin de Dieu. Le premier septénaire, celui des lettres (Ap 1.9 - 3.22), offre un aperçu global, indétérminé, de la révélation divine. Au centre, la vision du Fils d'homme daniélique (Dn 7.13-14), marchant au milieu des sept candélabres d'or qui représentent les sept Eglises et tenant dans sa main les sept étoiles, image des anges responsables des Eglises (Ap 1.9-20). Cet être majestueux et effrayant porte des traits divins mais s'identifie aussitôt de manière encore allusive avec le Christ Jésus:

«Je suis le Premier et le Dernier, le Vivant; je fus mort, et me voici vivant pour les siècles des siècles, détenant la clef de la Mort et de l'Hadès.» (1.17b-18)

Le Fils d'homme dicte à Jean sept lettres, une pour chacun des anges responsables des sept Eglises. Les lettres sont toutes de même structure: elles identifient l'auteur céleste, louent ou critiquent les destinataires puis les exhortent, et enfin mentionnent des promesses et les encouragent à «entendre ce que l'Esprit dit aux Eglises». Nous avons là, en raccourci, tous les éléments essentiels des Ecritures saintes.

Les sept lettres dictées par le Fils d'homme sont adressées explicitement à des communautés contemporaines de l'auteur d'Ap dans sept villes de la province d'Asie. Mais elles contiennent de nombreuses allusions vétérotestamentaires portant sur toutes les périodes de l'histoire du salut et, si nous nous rappelons que le chiffre biblique sept indique la totalité terrestre d'une réalité, il n'est pas difficile de voir ces chapitres comme une présentation globale, allégorique, de l'ensemble de la révélation divine. Ce qui importe alors dans ce tableau, c'est l'identification de l'auteur principal de la révélation. Derrière les communications sacrées («les lettres»), derrière leur auteur inspiré («Jean»), derrière même les puissances qui peuplent l'univers et dirigent le cours de l'histoire («les anges») se profile la figure du Fils d'homme «qui marche au milieu des sept candélabres d'or» (2.1). En fin de compte, c'est lui qui révèle par son Esprit les desseins de Dieu à l'humanité rachetée, et c'est également lui qui réalisera ce qu'il promet. Jean le présente implicitement comme l'acteur principal qui domine toute l'histoire du salut.

Le deuxième septénaire, celui des sceaux (4.1 - 8.1), reprend cette même idée sous une autre forme. A la place des lettres, il s'agit d'un livre scellé: nous pouvons le voir en même temps comme «le livre de la vie» qui révèle le sort définitif de chacun (cf. 13.8; 20.12), comme le dessein de Dieu qui doit se réaliser par étapes dans l'histoire du cosmos, et enfin comme les livres bibliques qui donnent un aperçu toujours plus clair de ce dessein.

Après un premier tableau qui met en scène le Créateur entouré de sa cour céleste (ch. 4), Jean aperçoit le «livre...scellé de sept sceaux» dans la main de Dieu (5.1). D'abord il semble que «nul n'était capable...d'ouvrir le livre et de le lire» (5.3). Mais la tristesse du voyant reçoit sa consolation par la suite de cette liturgie céleste: «un Agneau debout, comme égorgé» apparaît au milieu du trône, et l'on apprend qu'il est

digne de prendre le livre
et d'en ouvrir les sceaux,
car [il] fut égorgé et [il] racheta pour Dieu,
au prix de [s]on sang,

des hommes de toute race, langue, peuple et nation;
[il] a fait d'eux pour notre Dieu
une Royauté de Prêtres régnant sur la terre.

(5.9-10)

Puis l'Agneau ouvre les sept sceaux, l'un après l'autre, et chaque fois un événement se produit. C'est une présentation symbolique de l'histoire du genre humain, qui commence bien (6.1-2) mais devient assez vite la proie des forces de discorde et de violence (6.3-8). Certains sont pourtant sauvés des puissances du mal, d'abord douze mille personnes provenant de chaque tribu d'Israël (7.1-8), ensuite «une foule immense, que nul ne pouvait dénombrer...» (7.9), que l'Agneau «paîtra et conduira aux sources des eaux de la vie» (7.17).

Le deuxième volet du livre nous conduit ainsi à un résultat identique à celui du septénaire précédent: au centre de l'histoire du salut se trouve la figure du Christ mort et ressuscité. C'est lui qui porte les clefs qui ouvrent à une pleine compréhension du chemin de Dieu ou, pour inverser l'image, toute l'histoire n'est qu'une révélation progressive de sa personne (cf. 1.1). Sur cette toile de fond commune, il y a pourtant une évolution, une plus grande précision. Le Fils d'homme glorieux cède le pas à l'Agneau debout, comme égorgé (5.6): image nettement plus incarnée, où le mystère de la mort salvifique de Jésus est mis en évidence par l'allusion à l'agneau pascal (Ex 12) et indirectement au Serviteur du Second Isaïe (Is 53.7). Et tandis que le Fils d'homme *marche* simplement au milieu des Eglises (Ap 2.1), l'Agneau pour sa part *paîtra* les fidèles et les *conduira* aux sources des eaux de la vie (7.17). La route de Dieu révélée par le Christ devient la route des chrétiens, la route de l'Eglise.

Vers les noces de l'Agneau

Dans la seconde partie d'Ap (ch. 8-22), l'action descend progressivement du ciel sur la terre (cf. 8.5; 12.6; 14.16; 16.1; 21.2). La visée est en même temps plus spécifique et plus vaste. Plus spécifique, parce qu'il s'agit maintenant du déploiement du *jugement* de Dieu au cours de l'histoire, c'est-à-dire du processus par lequel les puissances du mal sont éliminées et la plénitude de la vie octroyée aux fidèles éprouvés. Plus vaste, parce que l'auteur d'Ap ne limite pas ce jugement à un moment précis. Bien que pour lui il s'identifie essentiellement avec la mort et la résurrection du Christ, cet acte se dilate jusqu'à recouvrir l'ensemble de l'histoire humaine et même au-delà, car les racines du mal sont repoussées à un temps antérieur à la création de l'homme et attribuées à «l'énorme Dragon, l'antique Serpent, le Diable ou le Satan…le séducteur du monde entier» (12.9). Le combat du mal contre le bien remplit le cosmos et l'histoire, cause énormément de malheur et de destruction; mais Dieu reste le maître de l'histoire, et les victoires du mal ne sont en fin de compte qu'apparentes, elles sont en fait les étapes de l'autodestruction de ceux qui détruisent la terre (cf. 11.18). Tout cela est récapitulé dans la mort salvifique du Christ, événement qui marque la fin du monde ancien et l'avènement d'un ciel nouveau et d'une terre nouvelle (cf. 21.1,5).

A la fin d'Ap, il est une image qui devient tout à coup centrale, c'est celle de la *femme*. La femme joua un rôle principal au début du livre de la Genèse, dans le récit des origines de l'humanité (Gn 2-3). Ensuite sa présence, quoique ne faisant jamais défaut, est devenue plus discrète. Elle réapparaît particulièrement aux moments critiques de l'histoire sainte, par exemple au seuil de la nouvelle Alliance (Lc 1-2) ou au matin de la résurrection. Et voici que maintenant, au terme de notre pèlerinage, l'écrivain inspiré met à nouveau la femme sur la scène et dévoile la plénitude de sa signification symbolique.

Nous rencontrons l'image de la femme d'abord au début du chapitre 12 d'Ap:

Une signe grandiose apparut au ciel: une Femme! le soleil l'enveloppe, la lune est sous ses pieds et douze étoiles couronnent sa tête; elle est enceinte et crie dans les douleurs et le travail de l'enfantement… La Femme mit au monde un enfant mâle, celui qui doit mener toutes les nations avec un sceptre de fer… (12.1-2,5a)

Poursuivie par le Dragon, elle fuit au désert, lieu de refuge et lieu d'épreuve (cf. CD 54-64), où Dieu la protège grâce à un grand aigle et en la sauvant de l'eau (12.4-6,13-17). Ces derniers éléments sont des allusions assez évidentes aux miracles de l'Exode (pour l'aigle cf. Ex 19.4; Dt 32.11), et il semble alors clair que, plutôt que d'identifier cette femme avec un personnage historique précis, nous devons la voir comme le symbole du vis-à-vis de Dieu dans l'histoire du salut, de «l'humanité dans son rapport complexe avec Dieu»[4]. Lors de l'ancienne économie, la femme correspondait essentiellement au peuple d'Israël, ou bien au reste fidèle de ce peuple. Les anciens prophètes, d'ailleurs, n'ignoraient pas cette correspondence, témoin les oracles d'Osée concernant sa femme infidèle (Os 1-3; CD 99-102) et surtout l'image de la «fille de Sion», où la capitale de la nation, personifiée sous les traits d'une jeune femme, représente le peuple fidèle en attente de son sauveur[5].

Ce lien entre l'image de la femme et celle de la ville est renforcé par la prochaine apparition de ce symbole en Ap. Il s'agit du contre-type de la première femme: une grande Prostituée assise sur une bête, portant sur son front le nom de «Babylone la grande» (Ap 17). L'identification de l'idolâtrie, le refus de servir le Dieu véritable, avec la prostitution a également une longue histoire en Israël. La plupart des commentateurs voient en la Prostituée un symbole de la Rome impériale, mais on a récemment conclu qu'il s'agit plutôt de la Jérusalem infidèle, c'est-à-dire des autorités du peuple juif qui ont trahi leur haute mission spirituelle pour leur propre bien-être personnel et collectif[6]. Rappelons-nous que la polémique contre les «mauvais bergers» est un lieu commun de la prédication prophétique en Israël, et rappelons-nous qu'ailleurs, Ap parle de «la Grande Cité, Sodome ou Egypte comme on l'appelle symboliquement, là où leur Seigneur aussi fut crucifié» (11.8). La crucifixion de Jésus avec le consentement des responsables du peuple est d'ailleurs la plus haute manifestation de cette possibilité de transformer le don reçu en un privilège personnel, la responsabilité d'accompagner les autres sur le chemin en une source de pouvoir pour se protéger et s'exalter soi-même au dépens d'autrui.

L'appel de Dieu n'a donc rien d'automatique. On ne peut faire l'économie d'une conversion du cœur toujours à réactualiser. La Femme peut devenir la Prostituée, Jérusalem elle-même peut se transformer en Babylone et subir son sort tragique. Le chapitre 18 d'Ap est un long et beau chant de lamentation sur la ruine de «la Grande Cité» à cause de ses iniquités. Mais, comme pour nous prévenir que la destruction n'est pas l'essentiel du jugement divin, aussitôt après est évoqué le versant positif de l'image de la Femme:

> On clamait: «Alleluia! Car il a pris possession de son règne, le Seigneur, le Dieu Maître-de-tout. Soyons dans l'allégresse et dans la joie, rendons gloire à Dieu, car voici les noces de l'Agneau, et son épouse s'est faite belle: on lui a donné de se vêtir de lin d'une blancheur éclatante»... Puis il me dit: «Ecris: Heureux les gens invités au festin de noce de l'Agneau.» (19.6b-9a)

«Babylone» disparaît de la scène pour faire place à la «nouvelle Jérusalem» (21.2), l'Epouse de l'Agneau.

Tout le mouvement d'Ap se dirige enfin vers la célébration d'un mariage, le festin de noces de l'Agneau. Après la disparition des puissances de la mort, la Femme-Ville vient dans sa gloire, autrement dit, sa vraie identité peut enfin se manifester:

> Puis je vis un ciel nouveau, une terre nouvelle — car le premier ciel et la première terre ont disparu, et de mer, il n'y en a plus. Et je vis la Cité sainte, Jérusalem nouvelle, qui descendait du ciel, de chez Dieu; elle s'est faite belle, comme une jeune mariée parée pour son époux. J'entendis alors une voix clamer, du trône: Voici la demeure de Dieu avec les hommes. Il aura sa demeure avec eux; ils seront son peuple, et lui, Dieu-avec-eux, sera leur Dieu. Il essuiera toute larme de leurs yeux: de mort, il n'y en aura plus; de pleur, de cri et de peine, il n'y en aura plus, car l'ancien monde s'en est allé. Alors, Celui qui siège sur le trône déclara: Voici, je fais l'univers nouveau! (21.1-5)

Et le livre se termine sur une description de la Cité sainte, «resplendissant de la gloire de Dieu», sans Temple, car Dieu est toujours avec elle en personne, sans lumière, car «la gloire de Dieu l'a illuminée, et l'Agneau lui tient lieu de flambeau» (21.23). D'elle jaillit un fleuve d'eau qui est source de vie pour les habitants de la terre.

Ap avait commencé par une vision glorieuse du Fils d'homme (1.9-18) qui est également l'Agneau (5.6), et par l'annonce de sa venue (1.7). A la fin du livre, nous entendons l'annonce de la venue des «noces de l'Agneau» (19.7) et la descente du ciel de son Epouse, la Ville sainte (21.2). Voilà encore une façon extrêmement condensée de résumer l'essentiel de l'histoire du salut: en envoyant son Fils, Dieu prépare en même temps un vis-à-vis capable de l'accueillir et de l'aimer. A partir de l'humanité qu'il avait créée, il forme un partenaire digne de lui-même. Rappelons-nous que la Femme (12.1), que l'Epouse-Ville (21.2; 3.12) descend du *ciel*, c'est-à-dire de Dieu: tout prétexte à l'auto-glorification de l'homme est ainsi définitivement écarté. A lui simplement de «suivre l'Agneau partout où il va» (14.4), de «rester fidèle jusqu'à la mort» (2.10) au don qu'il avait reçu.

En dépit de la lecture la plus usuelle, les images d'Ap ne décrivent pas uniquement ou même essentiellement une réalité future: par la mort et la résurrection de Jésus-Christ, les puissances du mal ont été désarmées et éloignées déjà, l'univers renouvelé (21.5), l'Epouse de l'Agneau parée pour ses noces (19.7-8; cf. Ez 16.8-14). De la Ville sainte, la communauté des croyants, jaillit désormais une source capable de donner gratuitement la vie en plénitude à tous ceux qui la désirent (21.6; 22.1,17; cf. Ez 47.1-12).

Cependant, soulignons-le une dernière fois, cet accomplissement déjà en acte ne diminue en rien le désir et le dynamisme des participants dans le drame. A l'approche de son terme, le pèlerinage ne s'arrête pas mais repart de plus belle. L'urgence de la venue s'accroît («bientôt, rapidement» 1.1; 22.6,7,20; «proche» 1.3; 22.10; cf. aussi 2.16; 3.3,11,20; 10.6; 16.15). La présence de l'Esprit Saint dans le cœur de l'homme, intériorisation parfaite du chemin de Dieu, est source d'insatisfaction, approfondissement du désir, appel à se mettre en route. C'est ce que signifie le cri par lequel se termine Ap, et avec lui toute la Bible. A ce stade les acteurs ne sont que trois: d'un côté l'Esprit et l'humanité rachetée qui expriment un appel commun, de l'autre l'Epoux qui est en train de venir. Ensemble ils invitent chaque être humain à entrer dans cette communion dynamique à l'intérieur du mystère de Dieu:

> L'Esprit et l'Epouse disent: Viens! Que celui qui entend dise: Viens! Et que l'homme assoiffé s'approche, que l'homme du désir reçoive l'eau de la vie, gratuitement. (22.17)

Et pour ne pas rester à l'extérieur, honteux de notre manque de vêtements (16.15; 22.14; cf. 7.14; Mt 22.11-13), pour ne pas garder notre porte fermée (3.20), à notre tour nous disons: Maranatha! Oui, viens, Seigneur Jésus!

POUR LA RÉFLEXION

1. Toute civilisation a ses valeurs qui ou bien favorisent ou bien empêchent l'épanouissement de l'être humain. Dans la société humaine à laquelle j'appartiens, quelles sont quelques-unes de ces valeurs et quel est leur effet sur moi, sur les autres?

2. En quoi la foi judéo-chrétienne corréspond-elle à la constitution fondamentale de l'être humain? Qu'est-ce que l'Eglise peut faire pour répondre aux soifs des humains, pour parler leur langage?

3. Pourquoi l'auteur de l'Ap décrit-il Jésus comme «un Agneau debout, comme égorgé» (Ap 5.6)? Que signifie l'image du lion appliquée à lui (Ap 5.5; cf. Gn 49.9-10)? Pourquoi l'Agneau possède-t-il sept cornes et sept yeux (Ap 5.6; cf. Za 4.10)?

4. Quelle est la signification de l'image de la Femme en Ap? Quelle lumière jette-t-elle sur notre vocation en tant que croyants? En quoi la figure de Marie, mère du Seigneur, nous permet-elle d'approfondir cette réflexion? Pourquoi la Bible se termine-t-elle par l'image d'un mariage, d'un festin de noces?

NOTES DU CHAPITRE VIII

1. Pour une telle investigation qui ouvre de très nombreuses perspectives, voir l'ouvrage génial d'Eugenio CORSINI, *L'Apocalypse maintenant* (coll. Parole de Dieu), tr. fr. Seuil, 1984. L'auteur rompt avec l'interprétation courante qui voit Ap essentiellement comme une prédiction de l'avenir et suit des commentaires plus anciens qui le considèrent comme une méditation sur les Ecritures hébraïques à la lumière de la mort et de la résurrection du Christ. Cette interprétation a tout au moins le grand mérite de faire apparaître l'unité du livre, et permet d'éclairer plusieurs détails qui en général sont restés obscurs.

2. Cf. CORSINI, p. 58-63.

3. Voir chapitre III, note 10.

4. CORSINI, p. 189. Voir aussi p. 180-189.

5. Voir So 3.14-15; Za 2.14; 9.9-10; Is 12.6; 54.1; CD 130-131, 156, 239-240, 284-285. L'image de la Ville (Jérusalem, Sion) comme personnification du peuple de l'Alliance est aussi très enracinée dans les Ecritures hébraïques. Voir CD 167-171, 204-209, 260-266. Cf. aussi CD 42 (n.9), 109-114.

6. CORSINI, p. 240-257. Cette interprétation, d'ailleurs, apporte une confirmation indépendante et surprenante à mon investigation de la littérature proto-apocalyptique en CD 222-240.

Table des matières

«Les adeptes de la Voie» (Actes 9.2)

ACHEVÉ D'IMPRIMER
EN OCTOBRE 1987
SUR LES PRESSES DE TAIZÉ
71250 - TAIZÉ (FRANCE)

Dépôt légal : novembre 1987 – N° 664 – LES PRESSES DE TAIZÉ